INK

INK

INK文學叢書015

何日君再來

平路◎著

目次

第一章

幹員的發現

運動場是一個大游泳池，好想脫光衣服跳下去游泳。裸泳多好。讓乳房在水裡漂蕩，像兩朵粉紅色的水母。

「永遠的軍中情人」，後來看到報紙的標題。這種日子，我還能夠永遠幾多年？

老哥

好歹替我關說一下，線索亂得很，快了，等我整理出來，就是眞相大白的日子。目前，還不能夠結案。人死得太突然。夠意思吧，一通電話打到曼谷，我放下一切過來處理。

我一直在繼續調查，疑點愈來愈多。上次跟你提到的死亡證明，那只是一端。報社我辦了留職停薪，超過一個月難再續假，飯碗我都不顧，也算是破釜沉舟。怎麼樣？我們兄弟一場，卷宗裡幫我編派幾個必須留在這裡的理由，疑點待查，等因奉此，該員自請留在原地。寫了十幾年公文，什麼疑難雜症你沒處理過。

對局裡只有這個要求，支援我的開銷，不過分吧。何況我是以大局爲重，說眞的，再洩露一點天機，我目前所掌握的線索抖出來，夠局裡雞飛狗跳好一陣。

老哥

我看了這期的《獨家》，標題直指她是國安局特務。採訪之外，還附了一張K老的相片。K老很會擺pose，相片上藤椅旁邊，那張茶几似乎堆滿了資料，乍看證據確鑿，挺嚇人的。此老口無遮攔，眼看就要把當年的事都抖出來。好險，他愈扯愈多，提到白嘉莉，接下去呼之欲出，我捏了一把冷汗，整天給我們出狀況，人老了就是靠不住。

老哥，必要時候攔一攔，提醒K老大局爲重。

轉念一想也是好事，以後再有人多事，你就將計就計抬出K老。其實我也眞的不知道大明星算不算編制內。當年利用這些女孩子，就因爲出國唱歌不容易，等於要脅人家，弄得小女孩愛國心大發，非跟局裡合作不可。後來用過即丟，在下我如今臨危受命，在海外專門負責擦屁股。對局裡還不算仁至義盡？

老實說，國家對不起她。

再不然，撂下幾句狠話，就說我說的。我手裡握有線索，大明星的死因不簡單。把我惹毛了，回來開記者會，大家都不好看。要不要預測一下第二天報紙上會怎麼寫？前情治機關幹員大爆內幕，冠上這一類的標題：「大明星死因成謎」、「雙面諜清邁遇刺」，要不然「吸安嗑藥香閨疑雲」，保證頭版頭條，局裡吃不完兜著走。

一般老百姓，調查局與情報局都分不清楚，何況還加上一個國安局。唬唬他們，從自殺到情殺到刺殺，保證怎麼說人們都信。

這裡上下打點，一切非錢莫辦，催他們寄錢是正經的。

告訴他們目前不用擔心，情勢在我掌控之中。眞正到現場去過的，只有兩家日本電視台。其餘都是道聽塗說。

老哥

死因確實可疑。

死亡證書寫的是死於送醫途中，「抵達醫院時，心臟已經停止，瞳孔擴張，呈腦死狀態。」「醫院施以一段時間急救措施，仍回天乏術。」後來傳出各種離奇的說法，院方又加派一位毛頭醫生出來開記者會。那小子面無表情，拿著一張聲明稿宣讀，死因是「氣喘而造成肺功能衰竭。」

第一個疑點是法國男人的不在場證明。

他說買水果去了，媽的眞孬種，八成是藉口。買什麼珍奇水果，需要去好幾個鐘頭？據我看其中有詐。後來法國男人回到旅館，聽見的反應也很不合情理。先是在旅館房間蘑菇了半天，才趕去醫院。我弄到那張醫院「手術同意書」的複印本，白紙黑字，歪扭的英文字母他親筆寫著：不准解剖，不准別人碰觸遺體。理由荒誕之至，不讓死人受折磨，單單這一點就說不通：局外人眼裡，他其實涉嫌重大。難道他不想查出死因，至少換回自己的清白。

第二個疑點是我打聽來的。消息來源很可靠，聽說在遺體脖子上有細小的針孔。注射了藥物不成？

第三個疑點是護照，醫院開的死亡證明書寫她國籍台灣，附了一個A字開頭的護照號碼。好死不死，碰到我心細如髮，我們台灣護照沒有A開頭的字號。

傳聞太多，有人說她是被勒死的，也有人說她早就得了愛滋。我不相信，這種聯想邏輯太簡單，看到許多西方光頭來這裡靜養，就認定我們的大明星也得了同樣的病。

雨下個不停，連旅館的床褥都在泛潮氣，這裡是古時候瘴癘之地。媽的，這種氣候，哪會合適氣喘病人？單單這一點，已經啓人疑竇。

老哥

這個星期建樹多了，先說脖子上的針孔，我逼著院方做說明，好歹要一個交代。他們給了我一紙公文，主治醫師簽字，說是保存遺體所留下的注射痕跡。

再說那個A字開頭的護照，居然是蕞爾小國貝里斯的。搞了半天，沒用台灣護照，斷氣的時候，嚴格說，不是我們中華民國的國民。

傳出去成何體統？死了一位貝里斯籍的華語歌星，像話嗎？好一個愛國藝人！局裡反正有人會遭殃，搞不好，這次輪到我們副座挨刮。

幸虧啊，我在這裡下了工夫，隻手遮天，叫他們醫院的打字機重新打一張，護照那一項，換上我們ＭＦＡ起頭的字樣。工夫下得深，鐵杵磨成繡花針，死亡證明都可以再開一份。

祝我們副座官運亨通，他一人得道，我們這群忠狗並沒有扶搖直上。提醒他一聲，誰還在外面繼續效犬馬之勞。

另外我明察暗訪，找到當天在事發現場目睹全程的服務生。服務生大概嚇破了膽。事隔多日，講起那天的事，聲音還發抖。口袋裝著我給她的紅包，服務生遲疑地說，光線不足，她在電梯裡看得，喔，不清楚。當時救護車已經來了，正在七手八腳搬運病患，服務生描述，那女人的臉上全是鼻涕，口水流個不停，嘴角猛冒白沫。

服務生無心插柳，無意中倒透露了重要資訊。最可疑的是飯店經理的動作，當天晚上大堂經理召集員工訓話，下達箝口令：這件事情不可以對外發布任何消息。

另外，幸虧老哥你通風報信，有人重提那檔子事，擺明了私仇公報。說什麼我靠不住，一向魚目混珠。其實我們這一行，本來眞眞假假，搞情報的就是需要沙中瀝金。何況局裡浮報濫報，比我拆爛污的人多了。你說上面對我的花費有意見，這裡用錢的地方多，千頭萬緒，他們自己來處理看看。

老哥

錢總算匯到，無誤。

上次我說過，有銀子好辦事。我這裡快馬加鞭，幾天下來，我跟客房經理套上交情。後來經理故示大方，讓我抄了一份出事當天的大事記：

09:00am，早餐依照慣例送進房間：兩杯橘子汁、一壺咖啡、烤麵包四片、荷包蛋四枚。

11:00am，服務生將門口的餐盤收回。

12:00pm，酒店職員到隔壁房間修理空調。

02:00pm，服務生集體用膳。

04:00pm，例行開床服務。門上掛「請勿打攪」，沒有任何異狀。

05:00pm，經理衝上電梯，頂樓服務生打電話通報，叫救護車，客人出事了。

這裡面疑點無數。我在筆記簿上畫了幾個問號，時間，報警的時間是個關鍵。救護車抵達的時間是另一個關鍵。

時鐘撥慢了。按照旅館的記錄，到醫院的時間應該是下午五點三十分。全被改動成一個鐘頭以後。

最合理的懷疑是：有人需要一個鐘頭湮滅證據。

老哥

雨季到了。這幾天，從早到晚，我都坐在Lobby的酒吧裡。

依我看，奇怪的還是這家旅館。勉強算五星級，畢竟舊了。以她大明星的身分，多少新開幕的觀光旅館不去住，非這裡不可？難道只是圖方便？過了街，夜市入口正在這一家旅館的後方。

旅館推得一乾二淨，媽的不帶種，看看出事後的反應，我認爲頗不尋常。出事那天深夜，召開緊急會議，通令員工密切監視男客人動向。第二天早上，男客人限期遷出，爲什麼？

或者牽涉到那小子事發當時的行蹤。目擊者很確定：法國人回到飯店並沒有趕到醫院，而是直奔頂樓上他們的套房，搞了十幾分鐘才出來。

更奇特的是第三天：法國人搬遷不及乾脆離境，難道外面有接應？甩掉了大廳裡警探媒體一干人眾，從旅館的暗巷密道走了。先搭泰國航空，再轉國泰航空，接著就杳如黃鶴。非我族類，其心必異。他在逃什麼？

老哥，這裡狀況之錯綜之複雜，可見一斑。

下過暴雨，窗外地下浮著一層油水：鹹魚乾發出的腥氣，布料反潮的臭味，混在排水溝裡。玻璃門旋轉，客人一邊走一邊摀住鼻子，夜市的氣味還會衝進旅館的過道。

我坐在酒吧寫這封信給你，我們這種人的職業習慣，永遠背對著牆，保持警覺。這裡前後兩個出口，全部鎖定在我目光的範圍。到目前為止，除了一個像同行，可能是泰國警方的密探，戴頂鴨舌帽，高腳凳上盹了整個下午。誰知道？說不定只是皮條客。除了這位打瞌睡的仁兄，沒見到任何可疑的人出入。

閒著也是閒著，只要我有意思，送酒的小妹一定勾搭上手。雨季來了，找找樂子，就叫做霪雨為媒。偏偏我有自己的原則，一是迷信運氣，二是顧及局裡的專業形象，出任務時就是雅不好此道。

這裡絕非久留之地。替我轉呈上去，要不是責任在身，我比誰都急著想走。案子稍有眉目，即刻回去述職。

老哥

走道上站崗的警察今天網開一面。混熟了就有這個好處，他們也是睜隻眼閉隻眼，居然准我一個人進她房裡。

旅館房間內，窗帘拉得很低。很久沒開空調，屋裡一股舊地毯的怪味。

我坐在她床前沙發上，一台電視機，手指壓著遙控器。她在這裡的四十幾天就是這樣過去？

茶几上有電話，我拉拉電線，沒有斷，或者剪斷過又接了回來。說不通的是：緊急狀況怎麼不撥總機，或者接到樓下櫃檯求救？

打開衣櫃，櫃子裡都是衣服。法國男人來不及帶走：淺紫、桃紅、天青、翠綠的西裝，領帶是五爪金龍身上的閃光。媽的搞不過，法國男人眞的雞歪，媽的有個老二在，也能夠充當芭比娃娃來打扮。

沒有精密儀器，只好蹲在地上，腳板做圓心，用手撥開地毯的絨毛，盯著檢查。衣櫃到床邊，一寸寸挪過去，說不定找出吸塵器漏掉的線索。

對著滿櫃子西裝，你可以想想那詭異的場景。我矮下身子，滿地蹲著磨蹭。怪吧，這是在海外單兵作業的苦處。

八成是晚了，有人先我一步來過。半天，只找到菸蒂燒出的幾個窟窿。

從她房間出來後，難忘的仍是那些泰絲西裝。你記不記得，早些年邵氏出品，預告片開始也會有萬道霞光。綜藝七彩，魚肚子鱗片翻上來。西裝料子弄成五色祥雲，媽的，只有小公雞才穿得出去。

他們住頂樓，下樓時電梯又在維修，我扶著膝蓋走樓梯。媽的五星飯店。甬道裡一股霉臭，垃圾沒倒乾淨。她爲什麼選上這裡？什麼是這個旅館獨有，其他地方沒有的東西？

老哥

今天做了些察訪。

上次那個客房經理很上道，能給的方便他都給。帶我繞進員工餐廳，跟分配清掃的領班打過招呼。簿子裡翻出當天的值班記錄。按圖索驥，找到了收拾房間的瘦小女人，搞不好這是個關鍵。

小女人噘著嘴咕咕噥噥，半天領班才幫我翻譯一句。他說小女人說，我記得，屋裡菸灰很多，成天開著空調。報紙堆在門底下從來不撿。

透過翻譯，工夫白搭了。問半天，小女人嘴裡說的都變成了例行公事。這個房間的客人，兩人下去吃早餐，趁著這點時間，趕緊吸塵，房間收拾乾淨，床也已經給他們兩人鋪鋪好。

後來小女人一邊說，一邊搗著嘴笑。我趕緊追問，領班有點緊張，回頭猛瞪那個小女人。他跟我說服務生記得的，他解釋，都太瑣碎，像是打掃他們的房間，上次鋪床擺的巧克力，一定原封不動，掀翻到地毯上。

領班頗有心機，他的翻譯倒也不可盡信。

我試著記下小女人胸前的名牌，寫著「哈娜」什麼的，底下還很長。前兩個字確定是哈娜，Hana，搞不好，日本買春團取的名字。

老哥

這封信兵分幾路。

先說這些日子繼續明察暗訪，皇天不負苦心人，洗衣部經理透露一條相關證據。出事前一天，有位男客打過電話下來，剛剛送上去的衣服單子寫錯了。加了一個華人的姓。他說他不是「什麼先生」，這樣的烏龍不能夠再犯。電話裡聽得出來很生氣。

看看這麼巧，出事前，法國男人發了大脾氣。千眞萬確，穿泰絲西服的小公雞在前一天怒氣沖天。

另外一樁，也多虧我水磨工夫。話說旅館外頭幾條小巷子，多蹓躂幾遍就有點印象。好像看見那麼一家店，櫥窗玻璃上一張紅紙，粗毛筆寫的「錄影帶」。靈機一動回去找，居然又給我迎面碰到。這裡租港台錄影帶。今天眞走運，老闆娘不但記起來，還提供第一手佐證。老闆娘說自己眼睛尖，客人走進來就認出了大明星。後來再來租帶子，都會用國語聊一陣，聊得忘了時間。「不好吧，讓你男朋友等這麼久。」老闆娘提醒。大明星朝玻璃門外望望說：「別理他，那種人，我們談我們的，不必理他。」

老闆娘形容大明星撇撇嘴巴，心裡有氣的樣子。說是出事前不久。

總之，這對love birds絕不像我們以爲的那般恩愛。

老哥

正跟你抱怨無事可做，在旅館酒吧淡出鳥來。沒想到事隔幾天，卻有意外的斬獲。

旅館後門走出去，街對面，有間賣河粉的店面。我坐在旅館抽菸，無聊就朝外張望，無論是不是吃飯時間，總有老外跟老闆搭訕。

不是本地人，吃得慣那種辣？碗裡一圈嗆死人的小紅椒。我愈看愈狐疑。

我遠遠盯梢，果然像在交易。老外一隻手往褲袋裡掏，不乾不脆地，看起來是掏錢的動作。

後來我進去店裡打探。牆壁上一張電影海報，上面有大明星的簽名。看來，找對了地方，大明星吃辣，應該是老主顧。

我指指海報上的簽名，聽沒聽說，對面的旅館裡死了人。

怪不怪？老闆會講廣東話，小老廣機警地搖手，不知，不知，生意人誰都不識。

我唬他，往桌子上一拍，我是調查員，跨國緝毒來的。少賴了，我們坦白從寬，拿出來，你這裡有貨。

老哥你一定啐我，到外國也要欺壓良民。狗改不了吃屎的習性。老哥你知道，這叫「解除心防」。我們當年前後期同學，不都是這樣破案有功。

這麼一嚇唬，試出來老闆絕非善類，沒被我唬倒。老闆拿起桌上的電話就撥號，唧唧咕咕開始講當地話。顯然後面有人撐腰。人生地不熟的，我一看苗頭不對，幫手就要來了，趕緊閃人。

當年在酒廊那一役，我就是閃得慢了，才被那群混混圍住，膝蓋落下治不好的毛病。店家可能是中盤，負責跟人批貨。賣吃的可能是個幌子，店面掩護毒品生意。看起來極有可能。

老哥

終於堵到上次那個哈娜，小女人瘦伶伶的，燈下細看還有幾分姿色。可惜不會說英文，仍然得靠領班做翻譯。這回小女人大膽多了，衝著我笑。趁著領班沒看見，悄悄塞給我一個電話號碼。想來我直覺又對了，大明星的事她知道，有話要說，只是不能夠在領班面前告訴我。下次，找個此地的翻譯，盡可能把她約出來談。

批下來的公文收到，我有心將功折罪，局裡看來還不甚領情。說什麼我過氣了，在局裡早已經信用破產，編的故事不盡可信。我知道有人暗地裡下藥，說來說去也就是這一套。明擺著哈公作梗，絕不讓我官復原職。哈公自己走錯門路，跟前朝遺老關係太深，注定升不上副座，這才叫過氣之人。嗨，老哥你最清楚，我擋過他的財路，老太監一向記仇。

形勢比人強，情況如此，你很難替我一再緩頰。下次有人囉唆，你把我信裡的影本，新開的那張死亡證明先附上去。新舊對照，你說我握著重要線索，輾轉才接上頭，說我在這裡見機行事，一時摸不清對方的來路。

我還是想著哈娜。直覺有點門道。或者我太多心了，說不定，她只是想在我身上撈一筆。

女人還是毒品，到底要賣給我哪一樣？

老哥

越洋電話講的事，問的結果怎麼樣？

牽涉到價錢，一句話，付還是不付，局裡儘快給個說法。哈娜在等我回話，大明星的死可能跟這極有關係。

我手上拿到的只有幾頁，小學生的字跡，抄在簿本紙上。確實透著蹊蹺。

你看這一句：「一九五二年一月二十八日，我生在雲林縣褒忠鄉。」偽造的人好大膽，托詞本人的口氣，這是自傳了。

有一段寫著「跟媽坐在末班公車上，回蘆洲家裡，車窗上有點點的燈光。」我稍稍做些查證，媽的，是個行家，當年的時間地點一切沒弄錯。

眞的假不了，假的眞不了，僞造這種東西，槍手絕非泛泛，人家可能也下了工夫。

怎麼看，都不像全然瞎掰，資料會不會自有出處？

警告你手稿破壞形象，可不像我們心裡的敬軍楷模。加密後你拿給副座，讓上級打個底，先有點概念。

怎麼說，打一劑防疫針都是必須的。無論如何，不是我虛張聲勢，也叫上面做準備，整件事情的殺傷力驚人。

每一次都認真地想，逃走，再也不要回來。

穿上迷彩裝，站在戰車上。現在是接到家人的電話，以前是接到局裡參謀的電話，一聲「喂」，就知道怎麼回事。完了，逃不遠的，又被抓了回來。戴上太陽眼鏡遮光，微笑，拋出飛吻。在司令台上表演，長袖粉紅緞子衫褲，滾著嫩綠花邊。揮動手絹，「路邊的野花你不要採，不要採，」拋個媚眼，這種甜嗓子最在行，抖抖手絹，「哥哥你不要採。」底下又是一陣尖銳的口哨。喘口氣，束腹緊緊裹著，聚光燈好熱。不透風的亮緞子裡，天上一片雲都沒有。運動場是一個大游泳池，好想脫光衣服跳下去游泳。裸泳多好。讓乳房在水裡漂蕩，像兩朵粉紅色的水母。勉強挺起胸，做出答禮的手勢，若無其事地揮手絹。「哥哥你不要採。」

「永遠的軍中情人」，後來看到報紙的標題。這種日子，我還能夠永遠幾多年？

像這樣，好幾頁的手抄本。字體不一，顚顚倒倒地，幾次提到逃走。哈娜比手畫腳，大致是說，她自己只是經手，賣主另有其人。我看，八成在造假，故弄玄虛。說不定，聽到什麼風聲，當成小說在寫。說不定作者是哈娜的同夥，搞不好是個泰國人，找到會寫漢字的人抄過。爲什麼連抄的筆跡似乎都不一致，又是疑點。原稿上可能有造假的痕跡，有人想要湮滅證據。當然，搞不好抄的人也是共犯，編故事時加了自己的意見，兩個或兩個以上的作者在集體製造。

媽的，這次我陰溝裡翻船，碰上跨國詐騙集團。

我們這種出身的人，於不疑處有疑，就是疑心太重。

確實是可疑，又不能夠掉以輕心，萬一給好事之徒弄到手裡，問題大了。反正局裡買來的假情報滿坑滿谷。依我看，就算花錢消災，我們這次也認栽，有時候，非當冤大頭不可。

對方門檻很精，任憑我威脅利誘，對方都是有恃無恐。用手比數字，美金交易，媽的，一個子兒也不肯少。哈娜跟她的泰拳選手丈夫，弄不清兩人的來歷。但願對方只是要錢，沒別的陰謀。

說不定，哈娜其實會講中文，說不定泰拳選手不是她丈夫，說不定旅館領班也是他們一夥的。或者他們正在釣魚，碰上我急巴巴吞下了餌，誰知道呢？

對了，我打電話到曼谷，小朱幫我查過《世界日報》。果然有些發現。記得上次寄給你的幾頁？記不記得她寫到勞軍，提起什麼「永遠的軍中情人」，就是那一年，大明星發胖得厲害，那段時間好像灰心透了。大明星回台灣，記者問她勞軍的事，報導中，她對採訪的記者說了一段：「已經沒有令我興奮的事，不想永遠，這樣就夠了。」當時大明星顯得低潮，那種情形確實罕見，她預告自己不一定會再回台灣。比照她的手記，心境倒是拼得起來。

到底怎麼回事？

這裡的消息很混亂。聽說大明星身邊另有一個女人，是位女同志。早年導過戲。有一種說法，男人是幌子，大明星死的時候，那女導演人也在清邁。

媽的，說不定跟她的死因有關係。

告訴你沒用，這裡流傳的都是八卦消息。你聽了也弄不明白。必須從頭整理，等我理出一些頭緒再說。

僞造的傳記，對方不急著拿出來，目的要做什麼？

老哥

哈娜交給我一疊，這次居然是中文打字。說不定把原稿扯爛，分成幾份，每次成交一部分。手寫稿變成了打字稿，這裡面當然有玄機。

看下去，是眞是假，告訴我你的判斷。

這個階段，對方只肯交給我這些。就是上次你匯來那筆，一手交錢一手交貨。其餘我繼續追蹤。

長官問起，告訴他們價錢是人家定的，不買拉倒。再挑三揀四，你就跟他們說，這事情宜急不宜緩。就說是我說的，誰叫大明星斷氣的時候我們的人不在跟前，活該東西落在別人手裡。

告訴他們，碰到高手，付錢還是爽快點。萬一東西流傳回國內，出了事，新聞界一嚷嚷，局裡吃不了兜著走。

你警告我小心。局裡的人內鬥內行，媽的，說不定正在檢閱我的忠誠度。老哥，如果我吃裡扒外，嘿嘿，這件事早就抖給八卦雜誌。

不說我也知道，局裡那些傢伙不會識貨，反而懷疑自己人搞鬼。這年頭，早先的汗馬功勞都不作數。半生奉獻給國家，一片赤膽忠心，媽的，居然需要重新來考核。

世道如此，我們這種出身，也只好摸摸鼻子自認生錯了年代。

別的都不重要，記得幫我跟大嫂說聲謝謝。你我老哥們，大嫂好意我心領。我在這裡，地緣的關係，查資料什麼的，請小朱就近支援。沒別的意思。我知道小朱人不錯，待我不薄，這我感念在心。但我掂掂自己的斤兩，人家請調曼谷可不是爲我。

單身漢日子適合我。這種事勉強不得。

P.S.附件有錯別字，我已經盡可能幫她訂正。大明星猥褻起來，比一般人更勇冠三軍。我看了都臉紅。改不勝改，有時候，乾脆整段刪掉。

原稿有時候是「我」，有時候用「她」，還弄不清楚怎麼回事。不通的我順了順。有些地方，你讀的時候自行變換，「我」改成「她」，通順些。

埋在枕頭中，菸燒到髮梢，就是喜歡這種味道。肩膀壓著他的肩膀，身子包裹著身子。

吸吸鼻子。雨點剛打到地面，一吸鼻子就知道。嗅得出第一陣暴雨的味道，雨點落下來，天空整排的閃電，水珠剛碰觸到柏油路面，焦乾的地面立刻有著火的氣味。

汗嵌在他胸毛中，小小的水珠，動一動就滴溜滴溜轉。

每一次他從外面進來，用鼻子吸，感覺他身上的汗味。加上菸葉加上雨水。再緊靠過去，還有那根屌的魚腥氣，一陣陣從褲襠滲出來。

我把身子裹在冰涼的被單中，是我身體在發燒？枕在他的胸膛，他用手碰碰我嘴裡的溫度計。「又不舒服？」溫度計裡有一滴血紅色的水銀，蝌蚪的形狀，杯子裡垂直上衝的香檳氣泡。

這裡的濕度跟我們台灣差不多。青苔的綠，長出的蘑菇菌類，把腳抬高，陰阜裡有陰濕的鐘乳石，一叢叢綿密的朝鮮草。想到水洗過的榕樹葉子，一些鬚鬚的根，奔流在他的肩膀上。要他用力，我就是喜歡，年輕男人腰上有一股用不完的蠻力。

他說我昏了頭。沒有，敢說沒有？我才清醒呢。

死命把皮包搶回來。不給，説不給就不給，一毛錢也不給。

媽媽也是這樣，皮包總放在床頭，媽媽説，我們逃過難，抓著包袱就要走，錢不能夠離手太遠。我跟他説這是辛苦賺的，自己的，你需要用錢我給你，給你用就是了。用多少供養你，但你休想帶走。他很氣，漲紅臉説：「你的錢拿給你媽，你媽又給你弟，你一個人能用多少錢？你的錢、你的錢，又怎麼樣。」

後來一直吵，吵到發瘋了。抓著床單我大叫：出去，就不要給我回來。

那時候是什麼年代？

不能夠讓自己輕鬆，你就聽不懂音樂。他的身子靠近過來，生殖器底下又柔又細，長著金色的恥毛。

你聽這張爵士，像不像叫春的貓在咪嗚、花瓣在頭上旋飛，情調像午後的咖啡館、像射進海底的幾道陽光。你把鼻子鑽進發出異味的針狀葉子，任由自己在香氣裡迷了路。還有長滿綠色葉脈的薄荷，你撕一片嫩葉，用手指揉碎，汁液黏在皮膚上，很快讓脈搏跳動起來……。他幫她點火，閉住氣，吸小小一口，欸，現在你戴上耳機，你聽，你聽，聽聽吧，你從來沒有聽見過的好聽音樂。

唱歌的人在嘴裡哼，低低的嗓音，摩擦著聲帶。波浪底下溺水了，不久又看見了藍天。瞪著他的喉結，上下有一組輕巧的滑輪，想要跟著那組滑輪在水上滑翔。

上次酒吧間裡，無聊透頂就會想辦法，找人聊聊天吧。用最高的聲音，幾乎用吼的。跟旁邊的老嬉皮吼著說，嗨美國佬，你們美國人連調情都學不會。這樣，笨死了，學不會是不是，瞧你，酒氣好重，嘴裡含著一顆燒夷彈啊？對著人家臉直噴過來。

大聲說話傷嗓子，唱歌的日子，不能這樣扯開喉嚨叫。我以前喜歡安靜，酒杯裡的冰塊都嫌吵。聽沒聽過 Killing Me Softly with His Song？那是你們八〇年代英文歌。主題曲也拍了電影。有個ＤＪ莫名其妙被歌迷追殺。別喝了，專心一點，人家好心跟你說故事。

你運氣好。說不定，以後啊，每個人都會好奇，我最後在清邁的日子是怎麼樣過的。

我知道，有人跟著我。我的耳朵很靈光。昨天晚上在旅館裡，聽見奇怪的聲音。那個人就在門後面，我從床上坐起來，安靜了半响，聲音又躲進衣櫥裡。你說我在做夢，不會吧？有個人，不遠不近地，始終都在跟著我。其實他們從來沒有放過我。Kill me or cure me，或者他們是好意，原意要保護我，而跟得太近結果他會殺死我。

時間不多了。我要告訴你當年的故事，跟我今天在這裡很有關係。那時候，租下一間學生公寓。窗檯上有一圈鋪著土的花床。種了檸檬薄荷、高高細細的薰衣草、還有葉子像針尖的迷迭香，每天早上站在陽台灑水，涼涼的氣味會飄進鼻子。那時候我住巴黎，大都市人的寂寞你知道嗎？聽聽皮雅芙唱的歌，Hymme Alamour，人生苦短，幸福總在難找到的地方。對了，皮雅芙是法國的小雲雀，馬戲團出身，在街頭賣唱，後來紅透頂的大歌星。酗酒、嗑藥、愛人離開她。高興的歌，被她唱過，都低啞到讓人辛酸。

看沒看過那個女人皮雅芙？唱片套上她眼睛很大。黑洞洞的，裡面都是寂寞。

我的音階不夠低，啞嗓子的味道，怎麼也唱不出來。不是洩自己的氣啊，我的喉嚨嬌嬌的，兒歌很適合。那是當初，嗨，後來喉嚨就寬多了。嗓子沒好好保養，現在啊，連唱都不能唱。跟你說這個幹什麼？你又不懂。人生苦短，我們聊點別的。告訴你，法國人知道享受生活，但是懶惰，比你還懶得淋浴，所以需要噴香水。不是胡扯，我很認真地説，法國男人一個星期才沖一次澡。經常洗不乾淨，股溝裡沾著點尿騷，腰腿上仍有一股膩膩的甜味。喜歡吸吮他的肚臍，用我的舌頭在那個小小的洞穴裡輕輕抽動。一隻搧動翅膀的鳥兒。哪裡像你們美國佬大猩猩一樣。粗手粗腳，發出動物的體臭，陰囊裡有關不住的發達性腺。

溫柔一點，你太粗魯。臂上刺國旗。我會聯想到自動步槍。讓我摸摸看，那些凸起是什麼，還真像針織的花紋，很有立體感。可惜圖案太死板，欸，刺上一箭穿心不好嗎？紅心多浪漫，中間刺著愛人的名字。叫你放輕鬆，我叫你輕一點，跟你這種老粗一起，女人以為自己會被肢解。停下手。有人天生的你知不知道，有人天生知道女孩敏感的地方在哪裡。不是腋下，不是胸前。哎喲，那是你找不到的地方。坐過去，這次離我遠一點，難道一直還在打越戰？別靠近我，不喜歡你嘴裡的酒氣。

我讀過報紙，在美萊村，步槍直搗人家的私處。跟你説，我討厭有人荷著槍，當時為了六四，生平只綁過一次白布條。六四天安門聽過沒有？別靠過來，不喜歡你用手碰我，尤其不要碰我的腰，噁心，我想到一圈白花花的肥油。

我知道，你沒騙我。你打過仗，有沒有用刺刀？是不是刺刀對準越南女人的胸脯。要跟你説幾次？坐過去一點，你毛扎扎的刺青，讓我很不舒服。神經啊，用針刺自己的肉，在胳臂刺「殺朱拔毛」，豬肉上蓋印的那種藍。從小我們看過，村子裡叔叔也有。殺豬拔毛，順便把你們國旗穿在身上。

哪是別人？就是我弟弟啊。穿著你們麵粉袋縫的褲衩，露出紅豆冰的小腿肚。麵粉袋印著美國旗，兩隻援華的手臂。美援奶粉是全家營養的來源，不只我們家，每家小孩都有幾件麵粉袋改的衣服。

手臂放過去一點，從小看多了。紅紅藍藍一坨，你們國旗有什麼好看？星條旗穿在屁股上，弟弟跟我玩捉迷藏。我在草叢中找我弟。脫脂奶粉讓我弟瀉肚子。我心慌地叫喚。弟弟兩條瘦腿往草叢裡躲，「弟弟，弟弟，」拿著草紙一邊叫一邊跑。

老哥

你說怪不怪，媽的挺邪門，勒索誰啊？分明就在抹黑我們大明星。這份手稿哪裡來的？

這裡不停在下雨。

事情毫無進展。哈娜又不見了。媽的死娘們，錢花光了才會出現。

小旅館的進門處張貼海報，放大字體印著：攜帶毒品判處死刑。

床頭櫃上還有一本旅遊指南：食物很辣，學著說 Mai sai phrik，當地話的「不要放辣椒。」旅遊指南上說，在喘不過氣的分秒，喝冰水穩死無疑，倒是建議你趕緊伸手呼救：「Help, my mouth is on fire.」泰國人想出來的花樣，媽的耍猴子，眞會唬洋人。

小冊子寫道：這家旅館位置適中。只是購物的巷子複雜，遊客不小心會迷路。塑膠布棚子底下，攤位一家連一家，假錶、塑膠蘭花、木刻大象、賤價的麻紗T恤與泰絲裙子。迷魂陣一樣，紀念品旁邊又是賣乾貨的攤位。

到處是線索，可惜弄不懂它們。

雨季不是旅遊季節，我犯賤啊？死等活等，媽的，等一個不會現身的女人。

老哥

美金收到，好歹夠我再挨一陣。

手稿裡提到一個老外，不知是敵是友。不是我沒有積極偵查，這裡老嬉皮一大把，流動性很高，一時難鎖定可疑對象。我常去酒吧坐整晚，爲的也是打探消息。事實上，除了河邊的酒吧，這裡沒什麼花錢的地方。不是旅遊季，連夜市都提早打烊。

山區陰氣特重。每晚夜雨敲窗，睡到下半夜，蚊帳無風自動，不由人不信邪。不由你不信，這裡連酒吧都掛著白燈籠。搞得像靈堂一樣。說是異國風情，老外偏愛這個調調。

到這一帶出差，碰上的又是怪案子，信不信？以毒攻毒，我身邊帶著一本《聊齋》。老哥，一晃幾十年前的事。當年國文老師特別喜歡蒲松齡。教室裡悶熱難當，一排和尚頭搖搖晃晃。不怪我們昏沉欲睡，六月台灣的炎陽天，就算有鬼，鬼影子也曬化了。

老哥，現在我有的是時間。一個人關在旅店裡，想的是兩隻秀氣的腳，套著酒店白拖鞋，翹出在浴缸外面。

新鬼舊鬼聲啾啾。還多虧那個國文老師。枕頭邊的書，抄一段你聽聽：「湖州宗湘若，士人也。秋日巡視田壟，見禾稼茂密處，震搖甚動。疑之，越陌往覘，則有男女野合。一笑將返。即見男子赧然結帶，草草逕去。女子亦起。細審之，雅甚娟好。」

媽的，搞不過老蒲，視覺化的畫面，從眼睛開始，層次分明，先是偷看，在高粱棵裡盯著眼看，帶來第一層的樂趣：「見禾稼茂密處，震搖甚動」。再來，遠鏡頭，「男子赧然結帶，草草逕去。」而接下去鏡頭轉換，終於等到了「女子亦起」。

好一個「女子亦起」，她在床邊找什麼？

用眼睛打手槍，打得眼眶子裡面血脈賁張，這種暗爽的境界，媽的，我是老蒲的知音。

雨季來了，聽說山區已經傳出疫情。搞不清楚是瘧疾還是痢疾。衛生所通知外國旅客，說這個病會死人，媽的，搞不好是一次大流行。

出生入死，我們什麼沒碰過，嚇唬誰？

不怕死一回事，還是要去打預防針。順便走一趟郵局，公事公辦，我把幾張收據給你寄上。故事有下半截，賣個關子，晚上燈下再續。

老哥

媽的，這種地方，接種疫苗硬是出了意外。

那天到現場一看，就知道苗頭不對。衛生所很簡陋，藥水棉花都沒有，媽的，胳臂腫了碗口大。今天才勉強拿筆。

針頭感染，衛生所強辯是防疫針的反應。

算了，自認倒楣。算我虎落平陽。上次說到半途，故事接下去。

接下去講，那個姓宗的士子對美色垂涎，癢得耐不住，又覺得自己是讀書人，不能夠這麼孟浪。半天，鼓起勇氣靠過去說：「桑中之遊樂乎?」女笑不語。

簡單幾個字，活色生香，已經意在言外。老哥，這種文體難不倒你吧，當年，我可憑著國文成績，考進局裡。

秀才意淫夠了，然後輪到動作：先是「略近拂拭」，漸次地「近身啓衣」，最後才「挼莎上下幾遍」。

怎麼樣?上下其手。A片還不如老蒲色情。

至此兩相情願。秀才多少還有些迂腐：「野田草露中，乃山村牧豬奴所爲，」然後才建議：「以卿麗質，即私約亦當自重，何至屑屑如此?」

沒完，結尾預留想像空間。故事末了，既然不要野田草露，秀才跟那個女人指點下一步：「荒齋不遠，請過流連。」

讀的是蒲松齡，老哥，這一陣悶慌了，說不準我也在睡夢裡癡癡叫著：「荒齋不遠，請過流連。」

向你坦白招供，夢裡似遠還近，有個模糊的女人影子。

老哥

你說我昏了頭，自己不知道，被人下了降頭。

我承認就是，不瞞你說，小弟早已經中了蠱。

事實上，我是見人說人話，見鬼說鬼話。你不愛聽，那下不為例。我們說正經的，再不跟你談《聊齋》。

謝謝寄來舊報紙。讀了就有氣。報上說是黨部主張為大明星覆蓋黨旗，還說會舉行國葬。政府某大員說她應該葬在國軍示範公墓。晚了，放馬後砲，早些時候幹什麼來著？國家對她照顧得當，包管大明星不會猝死。

局裡有人難辭其咎，至少該負輕忽的責任。

想到那些嘴臉，義正詞嚴在替她治喪，老哥，我一肚子大便。

老哥

哈娜又出現了。

媽的，好大膽子，小妮子耍我。錢讓她拿走了，我才發現居然摻水，有些上次就讀過了，哈娜給我一堆舊的札記。我翻翻，很重複，沒幾頁算是新內容。

內容造假不說，哈娜敢跟我玩花樣？搞不好我陰溝翻船，被這個死娘們耍了。弄清狀況再跟你回報，先附上這次的手稿。

他說你聽，這音樂像女人光著腳板，走在碎石子馬路上。他牽起她的手說跟我來，聽聽Astrud Gilberto的聲音，我們剛才在錄音間，聽到音樂反而緊張，你的脖子僵住了。

男人說我放唱片，你再聽一次，閉起眼睛，你是風，節奏就是河水，音樂穿過你的耳朵，流進去月光，流進去弧形的波紋。你知道嗎？幻想自己光著腳板，躺在一片河水上，枕著渦流，你的頭正跟著水波晃動。

半顆膠囊，幫你放鬆下來。

小公寓裡，她跟著法國男人的身體左晃右晃。握住她的手，男人咒語一樣唸著：「風在吹，你的身體輕輕搖擺起來。」蠟燭在風中搖曳，小時候她住家的地方，巷子兩邊幾盞灰糊糊的路燈，繞著黑翅膀的小蟲。

帶著我，由一扇門走進去。

感覺到沒？來自四面八方的風。坐在長滿野花的河岸上，花瓣在光線中搖曳。她躺在男人懷裡，感覺微風吹過的細碎音符。我的家在法國南部，那裡有橋墩，還有農莊，一座尖尖的教堂，紫色薰衣草的田野風光……。男人湊過臉來對她說。

第一次經驗，地板在抖，光線在快速顫動。手扶在頭上，她拿著酒杯走舞步。

那年，他們相遇在巴黎，牽起她的手，男人把頭湊近她的胸口。跟著節奏，手探進她的內衣裡，聽聽Stan Getz的薩克斯風，我聽見風，吹過女人的裙腳。

不要往後躲，只是想要試一試，你的身體裡面有沒有音樂？

男人在她耳朵邊重複那句話：「看你，你就是太緊張。」

Doors樂團，讓我們進入Doors of Perception。找找看，試著打開一扇原本關起來的門。

小時候我住鄉下，她跟法國男人說，沒有上過聲樂課。不像你，你好運氣，我沒有機會受完整的教育。

搬張板凳坐在收音機旁，她開口學唱《黯淡的街燈》，第一句就走調，音符喉嚨裡哽著，她的嗓子低不下去。這是全省聯播節目。台南的李小姐，點給前線的乾哥哥。另一首同樣是美黛唱的歌，張先生送過生日的筆友。

「用笑容，甜蜜的笑容。觀眾感覺到的，你在乎他們。」指揮老師在耐心教她。

等了多久你不知道，好不容易才冒出頭，輪到一次唱主題曲的機會。隔音板拼裝的房間裡，我在努力培養一種歌詞的情緒。怎麼唱才讓人感動？這次是孤女的故事，小女孩仰望天上，晶亮的星星在眨眼睛。前奏跑出來，心裡數拍子，小心什麼地方吐出第一個音。想到昨天晚上，跟媽媽在樓梯口坐了一夜。為了省旅館錢到別人家借住。親戚沒回家，母女倆等在樓梯口，她撐不住，趴在水泥地上打瞌睡。眨眨眼睛，果然濕濕的，臉上有幾滴眼淚。不太困難，就這樣，淚水沿著臉頰滾下來。

「我說，聽你唱歌，聲音裡沒放自己的情感，因為你從來就是太緊張。」法國男人拉住她的手。

「你看，不敢了？」硬起來的肩抵住她的腰，「我在這裡幫你，你需要徹底放輕鬆。」

退到牆角，有人還是在笑她。她害怕地往布幕裡躲。

關上燈沒用，拉下窗帘沒用，閉緊了眼睛也沒用。那時候，只希望水銀燈強些，她看不見周圍，看不見台下的人。

讓我再吸一口。這玩意好，我的愛，我的親親，有扇門需要永遠關上。就是不想再記起來：莫非那麼多年，我還是當年害羞的小女孩。

從小站在強光底下：「好吃呀、好吃呀，凍凍果。」用力咬下一口，誇張的嘴形，嘴角裂開好大，她舔舔嘴唇繼續唱：「大家來吃凍凍果。」

握住男人的鼠蹊部，黏黏滑滑的。她用牙縫吸，舌頭在那根屌上輕輕地吮。除非下決心逃走，她知道，自己不可能滑入另一個世界。

活著，可是我已經死了。

四周安靜下來，她告訴自己，只要動也不動，平躺在粉紅緞子襯底的棺材裡就好。

把觀眾變成死人，一座座水泥塑像。舞台四角的燈光大亮，水銀燈刺痛她的眼睛。果然她看不見，看不見台下的觀眾，假裝在空屋子裡對牆壁說話。

在床上躺平，拉一床露出棉胎的薄被，從頭到腳把自己蓋住。從小就玩這個遊戲，外面很安靜，弟弟不知道她躲在哪裡，大家終於忘記了她的存在。

這樣的念頭讓她放鬆下來。

男人要她專心聽音樂的節拍，你用心聽，把這個熟悉的世界擱在一旁，才會進到音樂裡頭去。聽見什麼？告訴我，你聽得懂嗎？

再加半片，你會感覺到撞擊，低音鼓迫近你的心房。

她點點頭，耳朵裡聽到的是不同的樂隊。「喂喂喂，你猜我手裡拿著什麼？喂喂喂，就是那安腸胃。」她的腦袋從電視機木匣鑽出來，一面唱，從木匣裡漸漸露出上半身，拿一瓶胃乳搖晃。原來的曲子是葛蘭唱的：「喂喂喂，你說什麼我不知道，喂喂喂，讓我們歡樂今宵。」不只健胃乳，還有整腸藥，她賣的東西還有電冰箱、洗衣機，她努力地想要放輕鬆，想到過去她會很緊張，她推男人的手臂，去幫我點火。就是現在，我需要哈一口。

「安賜百樂，安賜百樂，安賜——百樂，」愈來愈高的音階，她拿著一瓶口服液湊近塗成鮮紅色的嘴巴。

放輕鬆，別嗆到，讓自己渾身鬆下來。

電台比賽她唱《訪英台》，……九三康樂隊的胡琴，接著一段好長的過門，「河中鵝啊河中鵝，我山伯真是個呆頭鵝。」她一人飾兩角，反串小生也扮女旦。唱男聲的時候，麥克風靠在嘴唇下邊，勉強降下幾個key，……「我家園裡牡丹好，要摘牡丹上我家呀，」她把麥克風緊緊壓在唇邊，只有這樣，才能夠收進去低下幾個key的喉頭音。

她記得把被單裹在身上，涼颼颼的一疋布。大紅牡丹花被面披在肩上，學梁兄哥唱《遠山含笑》。「春水綠波映小橋，行人欸，來往欸，陽關道，」她拉著腔，手臂伸出去，被面像是張開的水袖，她看著自己的指尖。被單滑了下來，她慌忙遮住光裸的前胸。

她總以為自己站在舞台上。

登台獻唱有花籃擺在門口。知道我的人多了。我在意的不是觀眾。跟你扯到哪裡？人呢？我在意的只是一個人，哎哎喲，我的男人又出去了。

聽我說，上一次來他總是陪著我，這次才經常不見人影子。沒人聽，我只好跟你說。看樣子，你會是個好聽眾。

或者都怪我，從來不應該帶他來這個鬼地方。

女人就是要有人哄、有人陪，我的男人如果像你一樣陪著我。甜蜜蜜，笑得甜蜜蜜。不喜歡你閉著嘴，也不喜歡你張開口，受不了太濃的酒氣。你嚼一塊口香糖，我要緊靠在你身邊。

喔，忘了，忘了你來這裡找人，至於你要找的戰友，山南山北走一回，他們在地獄裡繼續打越戰。放開你的毛手，休想，才不，告訴過你，別看我現在這樣子，我從前是個大明星。幫我叫輛的士，我要回旅館。我的男人大概回來了。在旅館床上，親親他睡得跟天使一樣。

老哥

沒頭沒腦，跟老美講那麼多，她寫給誰看？

這幾天醒的時後不多，趴在桌子上也算過了一天。房間裡沒有月曆，算不清楚已經來了多久。

旅館愈搬愈小，屋子漏，窗縫滲水。桌上都是亂了次序的手稿。雨泡過，字跡花了。記得我就重抄，記不起來也算了。

推開酒瓶，一疊爛紙推得遠遠的。這個女人，跟我有什麼相關？幾頁日記放在旁邊，媽的，好像會咬我的手，而且咬住了就死也不放。

老哥，其實我是可憐她。世界上，剩下我一個人在關心她。這些日子，只有我一個人還在找她。

或者你說得對，老哥，這個地方不乾淨，有人在對我下降頭。

一陣雨後，我又把地下的紙撿起來，還把泡濕的幾張也貼在窗玻璃上。讀讀這一句：

「你看窗玻璃，好像浮著一層水光。玻璃縫夾著一隻死蚊子，還在搧合翅子。」

小女孩淹在水裡，身體快要沉下去了。她仰著頭在對我說：

「你看，你看，閃光的是些什麼東西？」

老哥

好一陣沒連絡，去郵局的路發大水，我在等錢匯進來。

手頭緊沒出去。這幾天有心向上，算是我的戒酒日。床下堆著關於氣喘的書，小朱幫我弄來的醫學刊物。

他媽的眞冤，癥結也許是她躺在床上，總之運氣太背。實際上，捱過那個黃昏就好了。書上寫著：「氣喘常於天黑時分引起，主要和人體皮質醇於傍晚後濃度降低、血清腎上腺素降低……以及免疫球蛋白E增多有關。」

吸菸的人就是劊子手，冤，被那個法國小公雞害的。我做筆記，抄下另本書這一段：「但防範與治療的首要，仍在避免接觸致病的誘因，如果……室內常有人在抽菸，……或在過冷的氣候下作劇烈運動等等，不去認識並避免接觸這些氣喘誘因，就是再好的治療方法，都無法達到治喘佳效。」

她剛死，我人在曼谷，那時候是不能夠相信。透過新聞同業引介，向一位內科權威打聽。

醫生囉唆半天，我記住的只是一句話。強調情緒波動，尤其生氣，最可能引起併發症。

疑點是，她身上有什麼人們所不知道的併發症？

情緒看來確實不可輕忽。一本《氣喘病的預防與治療》的專書上，也寫著情緒是氣喘致死的強力預測因素。

什麼叫「強力預測因素」？愈讀愈迷糊，譯筆有問題。下面這一段，怎麼讀都不通，根本前後矛盾：「氣喘曾被誤認爲單純的身心症。這個錯誤觀念之下最有名的受害者是羅斯福總統，當時的精神科權威認爲羅斯福的童年氣喘是家中權威的父親所致。這個理由後來證實是錯誤的，因爲羅斯福的氣喘在東部的家搬到西北部的懷俄明時，獲得很大的改善。正確的原因應該是懷俄明州的清新空氣。」

再這樣窮追不捨，對氣喘，我快變成專家了。

知道多就疑神疑鬼。我平躺在床上，呼吸道裡拉警報：趕緊坐直身子，要不，眞就喘起來了。老哥，這病會傳染？媽的，瘴癘之地。

到晚上，天花板的水氣，壓在我身上，活像一床打濕的毯子。

又及：她旅館房間裡曾經找到一具噴霧器，可能也是致死因素之一。有個叫包爾．哈納威的醫學博士這麼寫：「我認爲，現今氣喘致命率上升的三大主因是：過度相信支氣管擴張劑，類固醇使用太保守，以及缺乏適當的環境管制。」哈納威的書上又寫著：「有關氣喘死亡的回溯性研究已經顯示，許多病患在家中自行服藥，延遲送醫，尤其家中有支氣管擴張劑的，更容易有這樣錯誤的安全感，危險性更高。」

老哥

出差款匯到，我準備省下來更新裝備。這幾天，蒐集到一些對小公雞不利的證據：

城中心有間玉器店，老闆夫婦懂點普通話。除了租帶子的錄影帶店，玉器店是這裡唯一的地方，有人跟我聊起大明星。

那天，我佯裝不識貨，隨手買了幾塊假玉。老闆娘樂了，招呼我坐下來喝茶。我跟她哈啦她的小孫子，她拿下鏡框，指著全家福相片來獻寶。我問起全家福後面那一張，她更樂了，忙說那是跟大明星的合照。她說，記得拍照那天，男人站在店門外面，大概等急了，男人衝進來。當著老闆伸出中指，對大明星比一個fuck的手勢，fuck，你。老闆娘說，男人眼裡有凶光，不像是開玩笑。

老闆娘記得照完相，大明星臉色很差，說是到哪裡都這樣，一點也不給面子。只要我照相他就不順眼。

老闆娘帶大明星看店裡的玉。「我勸她，要不請尊玉佛放著，就算花錢保平安。」老闆娘嘆氣，「命嘛，她只愛紅寶，不信我的。」

老闆娘消息多，謠言也多。

老闆娘眼看四下無人，丈夫也不在旁邊，突然斜瞟著我說：你找她？聽著，她過世那天，有人還說看見過，很像她的一個中年女人，提著簡單的行李，站在小型機場的停機坪上。

老哥

玉器店老闆娘嘴巴大，可信度低。害我走了不少冤枉路。

求人不如求己，我又回去那家錄影帶店。老哥你記不記得，我在信上提過的那一家。店裡有租錄影帶的記錄。我一張張翻查，大明星專門租舊片。媽的，後來被我找到了，大明星最後租的片子叫做《True Lies》，眞實謊言，阿諾史瓦辛格主演。男主角表面在電腦公司上班，身分是接受特殊任務的情報員，連妻子也被蒙在鼓裡。

老哥，到這個光景，我的眞實身分是什麼？

局裡派的暗樁？還是關鍵時刻的眼線？我一直想講，沒找到適當的機會。我對你老哥，有一番話要坦白：早先，有半年光景，你以爲我出國避風頭，那是上面長官的密令，要我跟著大明星。

碰巧我自己出了紕漏，漏子捅得不小。局裡將計就計，也算給我一次機會。當時我一趟趟跑東南亞，那段時間，對大明星早有幾分熟悉。

記起來沒？出國前，我還去你家，大嫂燉了一鍋老母雞湯。算是給我餞行。

老哥，不是有心相瞞，你我二人，怎麼說都是換帖的交情。顧及的是你在局裡的處境，洩露多了，對你反而沒好處。

所以我說早打過報告，那是眞的。這種等級的大明星不能出事，而她遲早會出事。我曾經建議局裡加派一名幹員，兩個人輪班，二十四小時跟著。局裡竟以爲我另有所圖。陰差陽錯，到頭來還是弄砸了，令人扼腕。

最後，守著她就好了。

老哥

這幾天都在等你的信。

竟然你沒怪罪小弟。老哥，夠意思，不枉我們兄弟一場。

當初沒跟你說清楚，也因爲說出來顏面無光。任務是跟蹤一個女人。

於今之計，向老哥和盤托出安全些。我們這一行風險高，搞不好，到處藏著祕密帳戶。尹清楓是前車之鑑。活活被人做掉，都不知道怎麼死的。

老哥，我們倒帶一下，先給你來點歷史回顧。話說老毛去世，對岸次第開放。幾年之間，她的招牌歌《何日君再來》隨著氫氣球空飄大陸東南沿海。

大明星名字裡面一個字，跟國軍的「軍」發音相同。她家裡一門忠烈，她的歌應該有招降目的。對岸一聲令下，從此全面禁唱。

偏偏歌的作曲者身在北京，很不服氣。作曲者申辯：《何日君再來》是三○年代抗日電影《孤獨天堂》的主題曲，背景是妹妹歡送八路軍情郎哥哥從軍的一場戲。對岸決策部門聽進去了。從此口徑逆轉，槍口轉了一百八十度。原來這麼多年，何日「軍」再來，大明星唱的是「人民解放軍何時回來解放台灣？」

那是第一次，局裡有人緊張。

再下去，老共打心戰，想到用親情爭取大明星。

那一年大明星生日，老共《中國青年報》記者硬是找到她在香港的下榻處。電話裡問：「您看過對您姑母的報導？」

大明星客氣地說文章寫得很好。還說這是她第二次得知姑母的消息，又說她希望在大陸青年朋友面前獻唱。

大明星與人爲善慣了，聽起來十分熱絡。媽的，就這樣被錄了音。放在廣播電台重複放送。主持人在節目裡添油加醋：「今天是她生日，明年生日有機會的話，說想到大陸爲青年朋友們辦演唱會。」

那些年還沒解嚴，隨便扣頂帽子，麻煩大了。

殷鑑不遠，當年崔小萍就是好樣的。弄到後來，大明星家人到處滅火：「一派胡言」、「完全是大陸的統戰陰謀。」

經過那次，局裡倒是開始積極布線。長話短說，等我接上頭，重點是就近監看監聽，不許打草驚蛇，切莫驚擾當事人。任務只在防堵中共接近大明星。

她旁邊多了個法國男人，看起來像情侶。兩個人住進這家旅館，那是第一次。

大多數時間，我隔著遠遠的距離看她。你知道局裡面沒什麼先進設備，出了國門更是一籌莫展，剩下最原始的跟監。跟著，盡量跟著就對了。

她住觀光酒店，我住對街的小旅館。我推開窗，影子一幢幢，看得到他們房間。他們倆待在旅館裡，我盡可能閉門不出。

房間裡閒著沒事，總在聽她的卡帶。

那時候，也是我自己想離開台灣，離開一陣也好。美雲的事你很清楚。我們這一行，當然老哥你是例外，一般說，少有幸福的婚姻。人家說，做情治有關的工作，都是殘缺的人。媽的，心裡有個窟窿，那是塡不滿的黑洞。

老哥

這裡別的沒有，多的是時間。你不嫌囉唆，一封信接一封信，鉅細靡遺我就都告訴你。

職業習慣使然。我們這種職業的人，只要鎖定了監聽對象，她旁邊就再沒有旁人，意識專注在她身上。

從早到晚跟著一個人，又是一位名女人，老哥，確實是特殊的經驗。連我這麼粗線條，專心久了，也能夠感覺她的心情變化。

盯著盯著，她穿哪條裙子、戴哪副太陽眼鏡，臉上的表情，落到我眼裡，媽的，倒都能夠讀出一點道理。那時候我無師自通，學會讀她的唇語。譬如說旅館咖啡廳裡，左右都是人，我跟她嘴唇的動作，猜得出她指著菜單正在點哪一樣。又好像拿長鏡頭瞄準目標：停機坪前後一堆人，我只看見她，看見她從皮包拉出紙巾，停下來擦汗，扶著欄杆一步步走上飛機。

前兩年，大明星的身體還可以，上下樓梯沒像後來那麼喘。心情好的時候，她偶爾出去逛逛。

有一次，我跟著他們去到觀光蛇園。

半圓形的場地，她坐在我對面。法國男人坐她旁邊。大明星摘下太陽眼鏡，擴音機說英文，向來賓介紹毒蛇品種。她胖臉上露出恍惚的神情。

她偏頭在聽：這裡出產毒蛇血清，治百病，蛇劇毒血清才有療效，泰國產量世界第一。……看看你們後面的密林，總有不聽勸告的遊客踩進去，送急診已經來不及。泰緬邊境一帶，每年被毒蛇咬死的人世界第一。

表演場鋪著土。玩蛇的人穿雙黑布鞋，軟軟的黑布褲子，翻捲褲頭，布鞋在土上小步走，翻起一陣黃砂。玩蛇的人對蛇說話，跟蛇親嘴，大明星專心看節目，突然一條蛇飛出，飛到她腳邊。大明星出自本能，尖叫起來。觀眾定睛一看，那是玩蛇的人趁亂拋出來的一截繩索。

「Mom, Mom, are you scared?」逗弄她，玩蛇的人想要博觀眾一笑。用幾個英文字問她怕不怕。

大明星戴上太陽眼鏡，漲紅了兩頰。

「Mom, you O.K.?」玩蛇的人擔心禍闖大了。

觀眾哄笑。那瞬間只有我知道眞相，她不是受驚，讓她生氣的是叫她「Mom」。以爲旁邊坐的男人是誰？她的兒子？慌極了，她只好用涼鞋猛踢地下的黃土。

她站起身。法國男人坐著，好一陣才挪動屁股，跟她後面走出去。

「Mom, Mom,」玩蛇的人想要挽回，大聲叫喚。

我突然想加快腳步，快步繞過場子。一個衝動，非要攔住她不可。告訴她這裡人都這麼叫，叫中年女人Mom。不關她的事，尤其無關乎她不小心露出的老態。

瘋了，我在做什麼？我對自己說，難道比她身旁的男人還急著做護花使者？我可是任務在身的人。

老哥你坐慣辦公室，不理解我在說什麼。養成了習慣，寸步不離，不多久就摸清楚一個女人。一旦跟定了她，眼睛再看別的女人就是一種不忠。

嗨，再說下去，待會對著水龍頭，我又要用冷水猛噴自己的臉。

另一方面，我並不特別意識到她旁邊有人。我以爲養個小白臉陪著，到哪裡方便些，道具用的。卻沒意料後來給她帶來危險。我承認百密一疏，當時有盲點。

但直覺到她身體有病。我想她在用藥，她本來就是圓臉，臉這時候變得更圓更大。不講，愈講愈洩氣。媽的，三伏天讓人熱出毛病。中暑的症候？還是又喝多了？眼前一排白燈籠，晃晃盪盪，活像在河水裡招魂。

爲什麼有人僞造她的傳記？又處處留下破綻？

這陣子案情沒有進展，拖著不是辦法。我需要新的線索。

老哥

回到台北幾天了。沒找你吃飯，暫時也不打算去局裡述職。這趟突然回來，自己的私人行程，因爲我有一個奇怪的靈感。

頭幾天居無定所，沒事做，先去地下舞廳報個到。

幾個跳標準舞的地方。都是大明星的年紀。身材也差不多，一個個都帶著贅肉，寂寞芳心的中年婦人。跳舞場共同奉養一個教舞老師。看來挺吃得開，女人心甘情願出學費向他學舞。

教舞老師走到哪個女人跟前邀舞，女弟子都眼睛發亮，被榮光普照到了。那個男人一把小蠻腰，穿件包屌的緊身褲。還敢人模人樣的招搖。愈看愈不順眼，欠揍，很想叫出來海扁一頓。小弟身上那套擒拿術，對付這號舞棍綽綽有餘。

大概昏頭了，在一堆青春已逝的婦人裡面尋找大明星。

記得的總是我最後見到她的模樣：那時候，沒有人認得她是大明星，一個人站在街角，對三輪車揮著絲巾，一張月亮臉浮腫著。

P.S.還是老規矩，寧可給你提筆寫信。台北街頭，郵差少了，只有我一個人在炎陽下四處找郵筒發信。

老哥

謝謝你關照，局裡的大頭們唬到了，此行讓我報公帳。我知道他們投鼠忌器，其實是在敷衍我。無論如何我求之不得。這樣做就對了，繼續把錢匯進我指定的帳戶。

晚上沒處去，熟門熟路逛到西門町。

走進紅包場，付了茶資坐下來，台上一個穿亮片的女人。脖子火雞一樣，堆堆疊疊都是皺摺。

算歲數是大明星的姊妹淘，搞不好還一道上過「群星會」。開口唱的是老歌，「似這般奇情的你」，「奇情」，這兩個字打進我的心坎裡，我想到大明星，這一段奇情的遭遇，搖晃我的夢想。我到底在幹什麼？

布幔影影綽綽的，外面看不清已經那麼老舊。廁所裡衝鼻的尿騷。分不出男女，防火梯上兩個疊在一起的身子。

回頭看最後一眼，玻璃門映出我的影子，只差戴頂軍帽，活像後來我老爸離開前那副德性。媽的，幾十年過去，自己也成了老芋仔，眞眞現世報。

爲什麼這裡專門唱老歌？歌星老得脫了形不說，嗓子也走調。「你就真的像塵埃消失在風裡。」那是《哭砂》。十幾年有了。那些年，跟著大明星出任務之前，在台北流行過一陣。記得這首《哭砂》，因爲調子很特殊，「為何你從不放棄漂泊」，漂泊，嗨，走到這一步，誰都回不了頭。

在老家裡打開電視，綜藝節目的歌星都那麼俗氣。關上電視，瞪著那台電唱機，我坐在藤椅上跟自己嘔氣。

眼睛進砂了？到這年紀，反而愈來愈挑剔。

我坐在椅子上，想著大明星的命。從童星開始就一路在唱？我把現場重建給你看：十四歲的她，梳著兩隻小辮子，軟綿綿的童音唱《晶晶》，好聽極了。

老哥

臨走前，去了一趟她的基金會。就在空軍總部後面，以前是眷村的老房子。現在變成公寓。

基金會死氣沉沉，他們家人死腦筋，不會經營商業的玩意。尤其她弟弟，一看就是老實人。

講到死因是重點。她弟弟說：「那種時候，老姊那個樣子躺在那裡，怎麼還想到解剖？」還說，出事前幾天跟老姊通電話，電話講了一個多鐘頭，老姊很堅決，馬上就要離開清邁。她弟弟哭喪著臉：「老姊是我們家的支柱。她一死，柱子倒了。我們眞的不知道怎麼辦。」

拖到離台前夕才去她家，因爲不想看到她弟弟。想著同樣特徵在家人身上出現，多倒胃口，嚇得我腳都發軟。

怕見她弟弟，這種心理很難形容。我跟美雲婚姻ㄘㄟˋ了後，曾經搞上過一個女人，厚嘴巴，性感的鼻梁。付了幾次夜渡資，再不肯收我的錢。接著她邀我到她家。發現同樣的特徵出現在她妹妹身上。也是厚嘴巴，寬寬的鼻梁，望著那個翻版，客廳裡我坐不下去了。一瞬間，媽的，看清楚自己做這件事的毫無指望。

還好，大明星的弟弟長得壯碩，兩人一點也不相像。

老哥

回來清邁後一直失眠。

昨晚，做了一個夢。在夢裡我沒有拉住美雲。

推她，美雲醒不過來。狠命地推，叫醒她的一瞬，媽的，我一眼就識破了，她臉上春情蕩漾。前一刻在什麼樣的夢裡？想想又弄不清，夢裡的男人應該是我老爸才對。揪住繼母的頭髮，作勢要打，姘上隔壁那個油頭啦，奶奶的熊，你搞清楚。褲帶給我繫緊一點好不好？

老哥你會說，美雲情願跟著你，琴瑟不和鳴，是你自己心裡有病。

後來胖起來，大明星的臉又大又圓，站在街口自顧自地唱，「月亮代表我的心。」胖得一點心機也沒有。「深深的一段情，叫我思念到如今。」老哥你上封信提醒了我，仔細看，眞的幾分像，媽的，像剛嫁過來的美雲。

老哥，你說得對，我自己弄砸了，怨不得別人。

老哥

說是報帳，怎麼？要我交代在台北的日程。剛回台北，換了幾間小旅館，我是沒往家裡住。回去沒有鑰匙。竹籬笆門掛了大鎖。眷村老房子，捱到拆遷有一筆錢拿。

幾天才找到我毛弟。毛弟成家了，保險公司的業務員，繼母跟著毛弟他們住。從小就這樣，毛弟跟繼母一國。老爸不在家的日子，我自己一國。

拿到鑰匙我就住老家，家裡沒多少灰塵，老爸的像掛在牆壁上。繼母偶爾還會回來看看。

媽的，跟你講這做什麼？

至於你問到那個女人。老哥，你知道我有個罩門：碰啊碰的總遇上帶粉味的，經過滄桑那一種。回去台北沒幾天，我在中山北路上閒蹓躂，就是那幾條叫做the zone的巷子，沿用越戰時度假美軍的舊稱。那女人招招手，嘴上叼根菸，搖著二郎腿。看我朝裡面走，她挑了挑眉毛說，ＣＩＡ我見多了，整天在吧檯射飛鏢。不用賴，你幹的也是這一行，我見過你。

怪我自投羅網。她是陪人喝大酒的女人。

當時有些不服氣。什麼叫做幹情報的？你外邊人根本弄不清楚。就著昏暗的燈光，用手指蘸著茶几上的酒水，我一邊畫各個支系，一邊跟她講解：我們的前身是保密局，再早一點是軍事委員會的第六組，變成國防部的第二廳。江南命案後，又改爲軍事情報局。軍統，保密局底下設七個處，第一處是情報處，處裡又有四個科，其中之一就是國際科。

告訴她這些，都是普通常識。第一次見面，沒話找話講。她倒讓我確定了ＣＩＡ從未放棄台灣，老美還在原地活動。

你們摸人家的底細，爲的是打聽消息：就因爲這女人沒身分證、非法打工，還不是這些把柄。這樣做等於要脅人家，媽的眞造孽。

老哥

爲了幾筆報銷的帳單，媽的，小兒科，難道要我詳細塡寫，列出在台北的時刻表？老哥你幫我疏通一下，這有什麼難以理解？我在清邁悶慌了，回到台北流連聲色，很尋常的道理。

搞情報的祖師爺不都這種癖好。雨農將軍與胡蝶的韻事大家知道。有人說，沈之岳沈老，跟毛婆子江青也有一段。

毛人鳳前局長遇上于素秋，那理當是魚水相歡。聽說，有一次，該于上戲，戲院經理找不到人，一打聽正跟毛先生來勁呢，眼看今天上不了戲。經理趕緊掛出一面「于素秋急病」的牌子。

我早看清了這一點，風塵女人跟我們幹情報的是惺惺相惜，天生應該在一起。職業上需要說假話，置身的是騙感情的地方。

所以局裡別搞錯對象，想要弄個陷阱等我往下跳，怕是枉費心機。這一行玩什麼把戲我都瞭若指掌。當然，我不會輕估局裡的能耐。只要一查再查，怎樣清白的人也形跡可疑起來。某年某月做了什麼，「與某不詳身分女子關室密談」，筆記上預留伏筆，「手提箱有可疑錄音帶數捲」，多幾次虛玄，可就證據確鑿，坐實了被指控的罪名。

當年，李荊蓀案是經典教材。那位《大華晚報》創辦人常到香港，被參成「在港購物甚多，顯非其經濟能力所能負荷」的帽子，罪狀已經很完整，只等著甕中捉鱉。

套好招，定了案，李荊蓀「必須」是匪諜。恰好在李荊蓀的桌上，放著一本呂思勉的書，這位呂思勉寫過《中國通史》，寫的是以唯物論爲基礎的歷史。至此有了人證物證。需要對方的連絡人不是嗎?湊合著辦吧，呂思勉就變成李荊蓀的對口單位。

無論如何，還是那句話:要搞我，局裡也要付出代價。到時候，跟大明星的故事一起眞相大白。局裡休怪我翻臉無情。

哈娜是我的線民，我們單線連絡，我握著不少資料。資料既然在我手裡，收放自如，做決定的是我。關於這一點，局裡有什麼不同的意見?

老哥

沿河走，我去了一趟美斯樂，孤軍的舊址，那裡曾經是些李彌舊部。

答應放人我就安心了。老哥，算我又欠你一回，打鐵趁熱，你幫我再去託託關係。像我在電話裡講的，一個多禮拜，問不出個屁，除非搞非法羈押，局裡還能夠把人家怎麼樣？

答應放人，電話裡副座擔心的事，我都會處理得乾乾淨淨，一點不露痕跡。

至於這個地方美斯樂，我直說好了，不只是那女人給我的靈感。好幾次，大明星在公眾場合說過：「我是國際難民。」而我自己一路追查下去，應該也會想到：大明星說的「難民」，與美斯樂的「難民營」，確實有某種關連。

那天是巧了，才在中山北路巧遇這女人。局裡整人家冤枉，她眞沒對我說什麼。我們聊到她泰北的家鄉。她隨口告訴我，剩下的都是婦孺，外來人口沒幾個。住進來這種鳥不拉屎的地方，要不在外面混不下去，要不就是有點瘋瘋癲癲。其中有個女的瘋得挺厲害，整天哼哼唱唱。有一天又搭上巴士，不知哪裡去了。

局裡作孽，人家知道的有限。眞的知道什麼，也不會甘願貼給你們。老實說，祖國沒當人家是同胞。來了台灣好幾年，一張身分證都辦不下來，國家對不起這些孤軍後裔。當年百戰不得榮歸，妻女來台灣討生活，落到中山北路的酒吧間。出了什麼事，連本證照都沒有。這個祖國像話嗎？

至於她口中那個奇怪女人，美斯樂這裡好些人記得。說是浮腫著一張臉，邋遢穿著。瘋女人當初留下一本簿子。簿子後來被人撕扯開，哈娜與她的同夥大概脫不了關係。中間少去一大半。一頁連一頁的部分，勉強可以讀下去。我說話算話，先寄給你完整的一章，老哥你將就著看。

第二章

美斯樂手稿

越過男人的肩膀，她看見河對岸的星光。

她在一瞬間覺得輕鬆，看到了，真的欸，比宇宙還要大。或許她走了神，已經飛起來了。

1 她總是這樣緊張

許多年後，這是一種可能，卻屬於人們不忍心去談論的可能。

睜開眼，旅館衣櫃裡的小燈沒關。她看見床前地下那束光亮。

門鎖轉動，彈簧輕輕彈了回來。

冷氣轟地一聲，交叉的鐵片在通風口改變方向，一片片地豎直。胸腔緊了，肺裡的纖毛收縮。呼吸進來的空氣含氧量不足，她的鼻子異常敏感，幾乎可以感覺到：冷氣口的空洞裡藏著灰塵。

鏡子照著衣櫃，櫃子的門沒關好，她睡在床上看得見梳妝檯的鏡子。幾個鐘頭以前，保羅套上T恤出去了。除了保羅的西裝，衣櫃裡大多都是她的衣服，一件一件的粉紅系列。聽說粉紅色可以護住元氣。她抬起頭，看見的是旅館的白牆。兩隻胳臂交叉，合抱住前胸，多害怕自己會消失不見。

摸摸手腕上的翡翠鐲子，蔥綠的緬甸玉，睡覺也戴著。發慌的時候，她靠這些鎮定自己。

屋子裡有人？記起剛才吵得很兇，聲音高了起來，「永遠不要回來，最後一次。」

自己直著喉嚨叫吼，最後一塊錢。上次在許願池前，她拿一枚鑄著泰王頭像的錢幣投進去：「永遠，祝我們永遠快樂。」哪有什麼「永遠」？剛剛說的才是真話，你這個druggie，永遠別想從我這裡再拿一塊錢。

聲音更清楚了，熟悉的氣味，很近的距離，黑影朝床頭移過來。

下意識地伸出手，枕頭邊的皮包拉向胸前。黑影朝床頭移近，她屏住呼吸，茶几上有礦泉水，抽屜裡有幾捲泰銖，應該還有一瓶備用的噴霧劑，美金放在衣櫥裡的保險櫃。

她緊張地翻轉身子。

乾咳著，她沒有氣，發不出聲音。

原來就怕冷，想到一個人在夜裡突然死掉，她颼颼地打著冷戰。一張雙人床，沒有一個人在她身旁。

呼吸舒緩下來，她告訴自己，沒事，她就是太緊張。

那是哪一年？大腳趾的趾甲裡面化膿，僵僵麻麻的感覺。好一陣子她不敢用手去摸，很怕趾甲會掉下來。記得她每天瞪著，看著那片趾甲蓋上黑褐色的污血，正在長大，一點點往外蔓延。大概發炎了，發炎的部位繼續擴張，以後會潰爛，她想到截肢手術。變成跛腳的女生怎麼辦，往後的日子都要穿鐵鞋。

後來，長出新的趾甲，淺淺的肉色。她緊張地看著：不好了，指甲長進肉裡去，她緊張地想，就要嵌進肉裡去了。

再過一陣，肉粉粉的趾甲，上方出現了一點白色的月芽。月亮的形狀有些歪，摸著像彎曲的水紋，波浪如果掀開，長出來的趾甲表面就會有一層一層皺摺。這樣難看的趾甲，再也不可以搽指甲油了。她悶悶地想，以後的日子，怎麼過下去？

從來就是太緊張。

這是黃昏？還是白天？窗帘垂掛著，光線照樣透進來。白花花的陽光讓她覺得暈眩。

光線一亮一暗，天上的雲飄過，好像掛在大象身上的籃子裡，籃子不停地搖晃。拂在臉上的香蕉葉子讓她眼前一陣昏黑。還是更早以前？她跟著追求她的僑社男人到過這裡。她走在吊橋上，前面走的男人回過頭來照應她，底下是萬丈的深淵、橫插的古木、糾結的熱帶雨林。抓住繩子，她不敢放手。她覺得呼吸緊迫。她告訴自己繼續呼吸，用鼻子深深吸進來，再從腹腔慢慢吐出去。男人教她輕鬆的方法。不，還是她在教男人？她用發燙的手拉過他的手，教他觸摸，碰她從來碰不到的地方，要他跟著她的手一寸寸往前移動。

她害怕，她覺得頭昏。或者她是躺在水上，太陽換了方向，竹筏快要擱淺了，漂過來一塊狹長的沙洲。水道變了，竹筏經過沙洲，然後重新回到寬闊的河面。前面是馬達的聲音，她閉著眼睛想，多殺風景啊，像她出生的地方，採石場的泥沙淤積，馬達抽乾了河裡的水。她想到自己的鬆垮的身體，乾癟下去的乳房，現在剩下裂開的河道。

喉嚨裡嘶嘶的聲音，呼吸困難起來。開始了，要開始了，胸腔裡開始抽搐，氣管跟著發出聲音。空氣在瞬間靜止，胸口空洞起來，像是颱風眼在過境。空氣動也不動，四周突然變得一片死寂。

她告訴自己，吸一口氣，吐出來，盡量正常地呼吸。只要繼續等著明天，就不會死。誰會在等著新的一天的時候突然死掉？

或許他回來看她。踏出旅館大門，保羅想起來，服藥的時間到了。跟著她這幾年，他知道她什麼時候該服用哪種膠囊。他扶她坐起來，扯開礦泉水的瓶蓋，眼看她吞下睡前的藥。

「你需要安靜，聽我的話，睡一下。」他是好意，吃了藥，你需要睡一下，大明星。我去去就回來。跟她開玩笑，他叫她大明星，嗨，Big Star，每次出去前對她說的話，我去去就來。他在安定她的神經。

保羅開抽屜，不小心碰到桌腳，東西掉到地下，滾進床頭櫃的縫隙。

呼吸不順，喉嚨裡發出嘶嘶的聲音。緊急的分秒，她找不到那罐救命的噴霧劑。

或許她假裝的，她喜歡看男人緊張，三步兩步趕到床邊，靠過來試她的鼻息。她懶懶地睜開眼睛。「只是睡著了。」她準備這樣說。

沒有人招呼她，她也會自己調整呼吸，恢復原狀。

藥瓶放在床頭櫃的抽屜，噴霧劑放在手臂勾得到的地方，急起來就可以往喉嚨裡噴幾下。

保羅出去前找東西，兩隻手耙子一樣在抽屜裡亂翻。她用慣了的噴霧劑掉到地下。她愈急愈找不到。

她趴在地下找。

枕頭旁邊的噴霧劑乾了，揮發光了？找不到備用的一罐。她腳勾著毯子，頭倒懸在床沿，朝床底下張望。

肩膀先著地，她讓自己滾到地下。渾身汗淋淋地，她想要爬出房門求救。

她裹著床單，只有床單讓她覺得溫暖。她的手腳冰冷，她告訴自己應該早一步，離開這個不可能給她幸福的男人。

粉紅色禮服，白緞子襯裡，玻璃蓋子，黃銅把手閃閃發光。看到自己躺在棺木裡。人們找不到她，大明星真的躲起來了。

她聽說過不小心喪命的故事。那時候已經出道，還沒有紅起來。在美容院裡翻《南國電影》，夾頁的大明星頂著雞窩頭，假睫毛又濃又密。肥皂沫掉下來，閃亮的泡泡滴在美女的雞窩頭上。雜誌上寫著亞洲影后只是開玩笑，跟自己的男人賭氣，不小心吃多了藥。人們說，影后算錯了，以為在撒嬌，下一分鐘就有人把棺材打開，放她出來。

影后憋住氣，一點聲音不出。以為是在衣櫃裡玩捉迷藏？

從小就常跟弟弟玩捉迷藏。她在草叢中找弟弟。脫脂奶粉讓弟弟瀉肚子，她拿著草紙一邊叫一邊跑。「弟弟，弟弟，」她心慌地叫喚。防空洞是弟弟可能躲起來的地方。她回家拿草紙，弟弟跑到哪裡去了？剛才牽著弟弟的手，弟弟小手又潮又熱，臉上有一種不正常的潮紅。兩條乾瘦的小腿往草叢裡躲，布滿蚊子叮的包，弟弟穿著麵粉袋縫的褲衩，露出紅豆冰的小腿肚。麵粉袋印著星條旗，掛在一隻援華的手臂上。美援奶粉是全家營養的來源，不只她家，每家小孩都有幾件麵粉袋改的衣服。

砰砰砰，右手握住左手。左手的指頭伸開，砰砰砰，機關槍對準匪軍，棉被堆成的戰壕，弟弟對準衝過來的匪軍在掃射。收音機裡，蔣總統在發表國慶演說，我重獲充足補給力量，配合國際情勢，枕戈待旦。隨時準備反攻回去，解救大陸同胞。蔣總統在春節時答覆「美國合眾社」訪問，大陸匪區經濟，瀕臨崩潰邊緣。她蹲在收音機跟前。我軍一旦發動全面反攻，大陸民眾將充分支持。

上一次，酒吧間裡，跟坐在旁邊的美國人說，嗨，你，我不跟你說謊，真的。你知道我是誰，我做到一直最想做的事情，你信不信，我躲起來了。別問我怎麼做到的。沒有人知道我在這裡。你信不信？我從前是個大明星。

2 證詞與證物

我發現，這些發作總是在外宿時發生，此時，神經充滿了緊繃的情緒。睡在自己家裡熟悉的床鋪，會讓心境與體液變得較為純淨。

／福樓耳爵士

最近的研究發現，俯臥時，呼吸道發炎的情形會比在直立狀態下嚴重。這顯示，俯臥可能是氣喘發作的原因之一。

／醫學專刊

在高危險群病患，所有的氣喘發作的前兆都不能等閒視之。……病人應該到氣喘專科醫院，……可以提供必要的醫療及心理治療。

醫學博士／包爾．哈納威

吸入治喘產品Isoprenaline，雖有擴張支氣管效果，但也有相當程度的刺激心臟作用。

氣喘專科醫生／蕭偉傑

3 躺著的時光

她躺在床上。聽見車輪在滾動，整理房間的推車正經過他們的房門。門上掛著「請勿打擾」的牌子，她今天又不想下樓。

推推男人的肩膀，該起來了，你，你去對面買，我想吃瓦罐燉出來的雞鍋。

她說，坐三輪車去也可以。我突然想吃魚翅，好想吃啊，市區裡的那一家海鮮樓濃湯夠料，灑一點紅醋，魚翅軟中有硬，我喜歡膠質帶來的上等口感。這些年總算學會一件事：對自己好的方式啊，就是二話不說吃到肚子裡。

沒有魚翅嘛，說著她有點洩氣，清水燉牛肉，加幾片香菜也好。

她咕噥唸著，送進來屋裡的菜單讓人膩味，能夠入口的東西，包括我們常叫的烤雞翅，少少那幾樣。早就會背了。不怪我抱怨啊。我們的話題只有吃，剩下一個感官還沒有完全麻木。

掐一下男人的胳臂。你，不餓嗎？就是會睡。

她用遙控器選台，另一隻手伸向床頭櫃上剩下的雞翅。幾部A片看了許多次，她猜得出下面每一個動作，可以預期那對男女接著要做什麼：葡萄吃進嘴裡，順勢把香檳酒倒進女人的陰户。嘴裡啃得嘖嘖有聲。雞翅拿在手中，半天用牙齒撕下一塊肉，放在嘴裡慢慢嚼。

旅館供應的浴袍踢到床邊，軟軟地貼著男人的那件。她看著兩件衣服，比床上的男女更有關連。

她推推保羅的手臂。「我餓了，你不關心我麼?」男人哼了一聲。

無聊的時候，她會纏著男人一遍遍問。直到男人狠狠地踹她一腳。

旅館房間內，在這裡的第三十九天就是這樣過去。

沒有人認得她，沒有人知道她在這裡。

茶几上有電話，沒有人知道他們的號碼。英文報紙塞在門縫底下，兩個人都懶，懶得彎腰把報紙撿起來。

他們偶爾下去吃早餐，半點鐘房間收拾乾淨，床也已經鋪好，上面放著巧克力。吃完早餐回來，他們拉開床罩，屁股坐下，巧克力掀翻到了地毯上。

電視機裡總是無聲的畫面。她拿著選台器快轉，轉到本地台，女人掉眼淚的劇情片。看得懂劇情她就推一推男人。

廣告的空檔，她站起身，把腳放進床前的拖鞋裡。走到窗前，窗帘拉開一點，遠處山上蓋著一塊壓低的雲。窗帘再拉開一點，她看見山腳下土黃色的河水。雨季總有東西在腐爛，河裡漂著腐爛的木頭。

站累了，她回到床邊平躺下，噴霧器伸進嘴裡，她試著深呼吸。

她知道自己身體的狀況，禁不住在這裡日夜折騰。她的肺已經成了一條泥河，懸浮的蟲卵、濃稠的淤泥、打開的榴槤發出屍腐氣息。胸腔裡纖毛顫動，爬滿綠翅膀的紅頭蒼蠅，蒼蠅在找可以落腳的蝕肉。她撫摸前胸，兩片肺葉伸出去許多條支氣管，充氣的肺泡癟下來，支氣管的管壁變得窄小，黏痰滯留的緣故，好像淤塞的水道。

河面上糾結著黑色的藤蔓。

上次來的時候，遇到週末，穿深色西裝的男人常來這個飯店聚餐。鄰近工業區的日本商會是熟客，這個月卻不見他們的蹤影。

四周濕答答地，潮濕的空氣粘住她的鼻腔。她清楚感覺到身體裡的警訊。雨季就要開始了，她告訴自己，應該儘快離開這裡。

中午，旅館門前會熱鬧一陣。講話的聲音響在樓底下。

隔音怎麼做的？還說是五星級。她撇撇嘴。最高的樓層，居然可以聽見下面在講話。你聽啊，話裡有一種黏性，粘著我的耳朵，活像他們的米飯，每一粒米都很黏纏。又像剛剛電視上的活人春宮，黑的手指與肥白的乳房扭攪在一起，兩個塗油的身體，兩種顏色，混著旋轉的霓虹燈光。

保羅要她小聲，雖然是觀光旅館，他們的隔音設備很差。

這裡啊，很奇怪，許多事都在稀奇古怪地發生。她對著保羅的耳朵說，這裡的女人講話，聽起來，總像是流鶯在討價還價。

「奇怪？人家才覺得我們怪，白天不踏出房門、不出去觀光、不包出租車到遠的景點，好像手裡還有用不完的錢。」保羅撇嘴巴。

「當然可疑，看你的樣子，以為你是毒販子。」

聽她說完，保羅冷哼一聲。

她睡在床上睜大眼睛：「我比較擔心，電梯裡碰到那些人。」她自顧自接下去：「收拾房間的最可憐，哪天打開房門，這對男女已經直挺挺躺在床上。」

她翻了個身，側起一隻耳朵聽得更清楚。什麼樣的交易？火毒的太陽下就在進行。

「我們，真的死給人家看，好不好？」她脫口而出。

保羅頂她一句：「要死，不會自己死？」半晌，保羅再加上一句：「跟老女人一起下地獄，我寧願活著。」

她害怕的就是這樣：只要開口，總會出現這樣的分秒，提醒她兩人早已經不算戀人。

男人迷糊地問：菸呢？什麼時候天亮？她點上火遞過去。

去替我關上冷氣，我的背上泛寒氣。男人虛虛的聲音，可是天亮了沒有？

「你癮頭上來的關係，現在是大白天。」她一邊咳嗽一邊坐起身，扶著保羅的頭，幫他揉搓太陽穴。

菸味衝上來，氣管裡癢癢的。乾咳了幾聲，她突然提高聲音：告訴你多少次，吸兩口就好，別再哈了。怎麼地，哪裡拌住你？昨晚上不早點回來？想想我有多難過。一口氣接不上就很危險，身體的狀況我自己清楚。

冷氣在循環，你吐出的菸又吸進我的胸腔裡。她推推男人的手臂，把菸放下來。聽到沒有？每次你一根接一根，我喉嚨就會抽搐，這樣容易引起氣喘。醫生說，一次發作只會比上一次嚴重。

湊過來耳朵，聽我的喉嚨。快要發病以前，喉嚨連接氣管的地方，警報器先響，發出嘶嘶的聲音。嘶嘶地風箱一樣，到底你聽見沒有？

還有一點點時間，剩下最後一次機會。我需要找個地方靜養，找個沒有菸灰的地方，然後練好嗓子，有一天重新出山。

「愈來愈不對勁，我需要找醫生。」她小小聲說。

4 證詞與證物

本醫院勘驗確定死亡，死亡證明檔案8119號。

死因原因：氣喘，造成肺功能衰竭。脖頸的針孔是為了保存遺體所留下的注射痕跡。

／醫院發言人

那個法國男人說：接下去，不應該發生的事情湊巧發生了。

／警察的話

5 過日子的方式

她用美國運通卡付清四月份的住宿費。五月的部分，照慣例，房錢會在月底一次結清。

她推推睡在旁邊的保羅，我剛剛看見本子上好空。我們隔壁房間原本做了記號，為什麼又用橡皮擦掉了？

你聽見沒有，大本子是空的。那個大本子每天一頁，每一層樓畫成一格。很不尋常，他們的電腦居然當機？經理用手寫上去，整個頂樓都是空的，看起來好奇怪，就是櫃檯上燙金皮面的大本子。

我說嘛，對我們這麼好，打這麼多折扣。好像深怕我們會跑掉。

難怪，換上的毛巾繡了我的英文縮寫。每天一簍剝好的紅毛丹，昨天又送玫瑰花到我們房間。

她坐在床上，照例把昨晚花的錢記在帳上。房錢平均記到每天的帳上。驗算的時候乘以30，她學過心算，就是一個月的總帳。她咳著說，原來五千，貴賓享受半價優待，老闆優待，算下來一天只要兩千五。

她工整地在小本子上寫下「貳千伍」，嗲起聲音，她推推頭埋在毛毯裡的男人，嗨，親親，你猜這次我們用了多少錢。

隨身攜帶的小本子上，她用中文裡大寫的「壹貳參肆……」記帳。「一二三四……」的筆畫太簡單，不夠保險，她怕男人輕易就讀懂了這一套記帳系統。

帳簿上「吃」那一欄，密密麻麻都是字。她啐一聲：「貪嘴！就是吃的多。」昨天晚上那家外賣真的不賴。燒鵝的價錢便宜，比香港還便宜。下次還可以再叫他們送進旅館來。我和你共始終，信我莫疑。你信不信？真的是鵝，做鵝肝醬的那一種。你們法國人真像我們的老廣，什麼東西都放到胃裡。

跟男人說話，其實是跟自己說話。保羅緊閉眼睛在昏沉的狀態，正因為沒有人在聽，她才說得那麼起勁。

有些日子，她會從睡夢中驚醒過來。

睜開眼，看一眼嵌在床頭壁板上的鐘。她從床上坐起來，披一件衣服往房門外走。

穿過旅館大廳，走出後門，繞過幾柱收起的洋傘，腳板接觸到池邊的瓷磚。鼻子裡是消毒水的氣味。游泳池的水是人工的藍，藍得很假。

站在池邊，她抬起頭，望著頂樓那面落地窗。搭上電梯的幾分鐘，說不定保羅已經回來了。她想著男人倒在床上，鞋沒有脫下來，立刻睡得死人一樣。

只要找到保羅，她想自己一定又會原諒他。跟著自己，保羅變成沒名沒姓的一個人。在街上，人們叫他 farang ，所有的西方嬉皮通用，這裡發音的 foreigner 。

房間裡等不到保羅，叫一輛停在旅館側門的三輪車，她會去河邊的酒吧間繼續找。

看不見保羅，她又見到那個留長頭髮的退伍軍人，綁一束髒兮兮的馬尾巴。總是坐在吧檯的老位子。喝得爛醉了，手上拿著一張相片向人打聽。

「人會變的，見到，你以為，你以為見到還認得麼？」她拿著杯子，我說得對不對，舌頭不聽使喚，我的頭腦還很明白。她舉著手裡的啤酒杯，我說的是實話。既然來了這裡，誰還願意被人找到？

歪斜著身子，她意識到自己喝多了酒。你說，是不是？是你要請客，喝完了這杯再進點小菜，你說喝，不加冰不摻水，喝了剛才那杯。我才會坐上這隻高腳凳。

失去音訊的人像我一樣，到這個地步，甘願在另一個地方做另一個人。

「深水炸彈」，那是酒的名字，小杯子在櫃檯上推來推去，酒保請客，端看你敢不敢一口喝下去。那年在銀座鐵道邊的小酒店，她第一次喝到這種酒。B-52，深水炸彈，還有冰涼的清酒，腦袋在翻騰，天花板在上下震盪，炸彈在腦袋裡開花。

那是西田先生帶她去的地方，她信任西田，專屬於她的日本經紀。一瓶清酒，滿桌的燒烤，隨她吃個痛快。她從跪坐的姿勢站起身，西田總彎腰等在那裡，扶她穿上細跟高跟鞋。

現在她需要站在櫃檯前自己付帳。她看著倒懸在天花板上的玻璃酒杯，眼有點花，喔，你注意到沒有？西田先生，沒有你巴巴地跟著，我一樣活得很好。不需要人扶，我還是可以筆直地走出去。

現在她心裡惦記的只是保羅。

錢花光了，保羅會回來找她。那也是唯一的理由，他會回到旅館房間裡等她進門。

6 證詞與證物

女客的嘴巴、鼻子四周全是口水與鼻水，而且流個不停，還有一些白沫；雖然我曾聽過氣喘這種毛病，還是很害怕。

／旅館服務生

抵達醫院時，心臟已停止、瞳孔擴張、呈腦死狀態。院方施以急救措施，無效。

／死亡證明書

這件事情不可以對外發布任何消息。

／飯店經理

那位男客打過電話下來，他說剛剛送上去的衣服單子寫錯了。被稱作華人的姓，讓他不高興。他說他不是，這樣的粗心不能夠再犯，他在電話裡聽得出來很生氣。

／洗衣部員工

7 變心的理由

打開衣櫃，她摸著保羅的西裝外衣，新的時候會折射光線，不穿就灰暗起來。沒穿過已經舊了，失去了那種光亮。

第一次來到這裡。她替保羅訂製了幾件上裝。她指著布店裡的顏色說，你看啊，這裡的泰絲織出來的：讓我想起我們華人過年的熱鬧光景。

選上清邁這裡，起先是她一個人的想法。廟宇貼著金箔，牆上是閃爍的玻璃亮片，人人可以賄賂神佛，乞求過的人都回來還願。她一眼看上這個可以改運的地方。

再回到這裡，保羅一個人經常往外跑。不到半夜不回旅館。她覺察到，男人有了自己的去處。

起先是她的主意，她要拴住一個男人。那時候看著保羅她還會不忍，覺得一種歉意，從小肚子上爬上來。

保羅氣不過地說，你懂什麼？大明星。你上化妝室，我招招手，好久一陣，侍者不甘願地走過來。你離開他們就變臉，當我是什麼？

沒出息的男人，小白臉，吃軟飯的男人。她心裡無聲地應著。

在旅館大廳，總有人斜著眼睛打量，以為保羅是按件計酬那一種。不知道賣的是屁股還是賣他的屌？看見兩人走過來，人們在眼裡揶揄地笑，怎麼不勾搭上個年輕點的，至少有些樂子，這個，唉，這麼老，腋下的肉都鬆了。

兩人走過游泳池，她清楚知覺到帆布椅上的遊客正在看他們，報紙擋著臉，仍然上上下下在打量。

感覺到後面的眼光，她故意挽著保羅的手。她踮起腳尖，走得更慢了。假裝拿著一方軟綢子，在手裡甩啊甩的。「我們倆划著船兒採紅菱。」她頓一頓步子，「的呀的郎有情，的呀的妹有意。兩角菱彷彿同日生，我倆不分離。」

黃昏時，旅館房間有某種令人害怕的安靜，她害怕安靜。

她躺在床上，試著找一件，有一件事也好，想出一件快樂的事並不容易。

上一次，為了錢，男人當真要去拿箱子。走了好。認了，算我供不起你，就怕你不走。果然，走走又回來了。

每一次吵到後來，只要保羅回頭，她立即原諒了男人。

坐在枕頭上，她想到上一次，他們吵了又好。後來他坐她身邊。她的陰毛在保羅白皙的臉上摩擦，劃下一團一團黑黑的陰影。她努力把保羅的頭壓低到她的陰部。她的男人、她的孩子，她的手指摩搓著保羅的額頭，又細又軟的棕髮，她恍惚聞到肥皂的清香，那麼多柔順的鬢毛，從下巴延伸到耳朵後面，真像她的孩子，她吸口氣，按住保羅的後腦，如果能夠把他吸回到子宮裡。如果她有機會養一個孩子多好。

房門底下湧進來了什麼，看不見的什麼，她摸著自己的頸子，涼颼颼的。

或許他們又吵了架。

像往常一樣，一句話，一件很小的事，引得兩個人中的一個暴躁起來。總是女人先沒有聲息，然後男人砰地一聲關上門，坐上電梯，走出旋轉門。招手叫來三輪車，帶他到他要去的地方。

「殺死你！」男人氣呼呼地吼。告訴你，以為我好欺負，我受夠了。保羅咬著牙說，天殺的這裡的經理，以為我是你丈夫，送給我一個東方的姓。

上一次，跟她一起照相，旅館大廳裡，他當著一堆外人伸出中指，對她比一個fuck的手勢，fuck，你，什麼年紀了？總是愛擺V字形的手勢，幼稚得像個小女孩。

從保羅的眼睛裡就看得見，恨透了這種日子：討厭她總是那麼愛吃。他走過馬路，為她端回來冒熱氣的一鍋。她聽他抱怨過許多次，要吃你自己去買，油裡浮著一塊內臟，看起來倒胃的東西。為什麼你自己不去？為她的吃食，他們吵過很多架。

油濺出來了，他手腕上落了一滴。鍋子放在她面前，「fuck，總有一天我會殺人！」他故意說給她聽。

岩漿熱滾滾的，火山隨時可能爆發：男人粗魯的動作讓她打冷顫。上一次，夜市裡遇上賣手工藝的傜族婦女。保羅用力推開挨過來的女人。「你幹嘛？那麼兇。」她拉拉保羅的手，何必嘛，發這麼大脾氣，幾個小錢就能夠脫身的事。

婦人大概剛從山區下來，身上披掛著飾物，手織的背包、手編的珠花，蹭過來向觀光客兜售。婦人牽著孩子，被保羅推得歪了歪，一跤摔倒在地下。

她記得保羅惡狠狠望著婦人，眼裡有凶光，以為抓住了地鐵上扒去他皮夾的吉普賽。

她猜保羅像她一樣，下過許多次決心。決心甩掉她，買一張機票飛回去。上一次是你求我，好心才答應跟你在一起。她記得保羅甩開她的手，臉上一副不屑的表情：早該離開你，讓你這老太婆知道，寂寞晚景是什麼滋味。

我總是會提醒她：「讓人家在門口等，好嗎？」居然她一點不在乎地說：「管他的，那種人。」

／錄影帶店老闆娘

沒錯，兩人一起走進來。過了一會，他們開始爭吵，白種男人變得很兇，我只記得這些。

／玉器店店主人

後來，我們聽見聲音趕過去。男客人正在捶門，用鑰匙打不開，裡面大概鎖上了。男客人罵髒話，英文很髒那種。用鞋尖猛踢房門。鬧了一陣，男客人掉頭又走進電梯。

／頂樓服務生

法國男人說他沒必要回答這種問題，我們的訊問也只好中途停止。

／維特拉警官

9 美好的時光

第一回來到這裡，他們同樣是住在這間夜市旁邊的旅館。黃昏時候，戴上太陽眼鏡，兩個人會在游泳池邊坐坐。

偶爾保羅跳下水，池裡游一圈。她幫他用大毛巾擦乾身子，手挽手走過街，到夜市裡吃東西。

晚風吹來，空氣中飄浮著榴槤腐壞的氣味，甜膩而腥羶。這裡有荒廢的水道，映著傾頹了一半的古城牆，河道上幾隻小船，暮色裡輕輕搖晃。河岸上有叫做「好景」的酒吧，吧檯上環坐著找樂子的年老嬉皮，間雜幾個被高熱燒炙過的光頭，那是靠止痛藥度日的愛滋病患。那一年，他們還會在桌子底下做那種事。他的手環繞過她的腰身，繼續往下延伸，這瞬間，她摸到他的拉鍊，一寸寸地往下摸索，「感君纏綿意，贈妾雙明珠」。

第一次，經過酒保的手，保羅把菸斗拿到她的跟前。

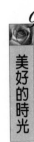

在她對面，吧檯的另一側，有人將粉末攪拌在一起，放在錫箔紙上。

她說可以，有點感覺了，我聽得見，知覺果然可以細微到這般地步。她聽見保羅在她耳朵旁邊低語，攬住我的腰，想像我們在舞池裡慢舞，你踩華爾滋，你看見沒有？還是用聽覺？聽得見大象與蚊子交尾的聲音。

越過男人的肩膀，她看見河對岸的星光。

她在一瞬間覺得輕鬆，看到了，真的欸，比宇宙還要大。或許她走了神，已經飛起來了。我在奇妙的光圈裡，一個浩瀚的世界在我眼前發生。

第三章

多少種可能

「或者，帶我飛翔，沒有人到達的高度。」她接下去說。然後她環住他的腰，很久很久不動。

看進他的眼睛裡，水水地泛著藍光。一條蜿蜒的河道，深入人們靈魂的祕境。

老哥

別怪我沒有按時連絡。這些日子以來，我跟她一樣，漸漸沉入地下。

輾轉到手的稿子驚爆內幕：人怎麼死的，眞相呼之欲出。稿子如果透露的是實情，那麼，美斯樂的女人是大明星什麼人？爲什麼知道這樣多細節？

謎底揭曉之前，我需要做查證工夫。

老哥

又回去那個蛇園，印證我的記憶。玩蛇的人還在原地，怎麼問都是白費工夫，渾小子半點不記得：那天，一位中年女人半途走出去。

路上經過長脖子的部落。媽的眞作怪，人人在脖子上一串金屬環，有的人五顏六色，遠看像是我們台灣夜市套獎品的塑膠圈。有一處部落，個個女人乳房像瓠瓜，奶頭掛著墜子，鬆鬆地垂到肚皮上。「發現清邁、發現清涼的佛土。」旅遊指南寫著。我下意識地張望，大明星會不會來到這裡？

她在哪一個原始部落裡迷途？

沿著坪河往上走，後來上了竹筏。撐船的是個婦人。馬達還沒拉起來，撐篙的時候全靠力氣。婦人背對著我，胳臂上鼓凸凸的肌肉，從肩膀到腰，五花大綁，全身纏著背孩子的布帶。在婦人肩上，大概也有靠她養的一家大小。

還沒寄給你過目的手稿有一段，提到清邁旁一條坪河。那一天，他們溯河而上。雲層堆得很厚，陽光不那麼耀眼：摘下太陽眼鏡，大明星把鞋子踢掉，光腳丫搭在保羅胸膛上。

大明星可憐巴巴地寫著：難得任性一次，保羅沒有推開她。

船家婦人的塑膠拖板，晾在船頭。我坐在板凳上想，這裡的筏子吃水很淺，大明星的高跟鞋提在手裡，腳踩在泥巴中才上得了筏子。

婦人的普通話有鄉音，船家說她爹來自中國北方。難道她爹也跟著李彌撤退到雲南，無路可退，又逃到這裡，媽的，一打括子全成了孤軍後裔。

我手裡拿的還是《聊齋》。剛好經過河的彎轉處。岸邊有間茅草屋。我想著如果正是這婦人的家，如果她放下竹篙，過來招呼我。「荒齋不遠，請過流連。」當然，我說的是《聊齋》裡的狐媚女人。

望著船家婦壯碩的臂膀、肥嘟嘟的前胸、背帶勒出來的乳溝。我呆呆看著突起在衣服裡的奶頭，好大一顆。

毫無預兆，美雲那張粉白的臉又出現在我心裡。顯然，我以為忘記的女人還躺在那裡，花布床單上，等著跟我算這筆帳。

河上望岸邊，茅屋外幾排曬衣服的竹竿。到了過年前，會晾上一竿子鹹肉吧。河水晃啊晃的，記起我親生娘，娘的手油光光的，豬肉表面抹些花椒與鹽，一塊塊穿上繩子，排成一排。

肉擠壓著肉，竹竿直了起來，每塊肉各就各位，相等間隔吊在竹竿上。那一年我老爸回家過陰曆年，我們家早早買了豬肉。小孩被分配的工作是打蒼蠅，看到蒼蠅在竹竿上盤桓，我就揮揮蠅拍子。那年眞走運，我老爸不用駐防，第一次，過年時候有新衣服。

或許我早該想開了，找個莊稼女人，壯點也無妨，只要死心塌地跟著我，偏偏倒楣碰上美雲。我那女人愛把涼鞋吊在腳趾頭上，露著腳後跟，腳踝上綁條銀鏈子，走起路來煙視媚行。當然也怪我自己沒出息，找美雲的碴。其實是心虛，怕她給我出狀況。

船家婦人放下菸袋哇啦地講：「世界上，很多傻子。老美特傻，傻大個子。拿一張軍服照片，指著到處問，以為還有希望，以為咱們這裡不開化，到現在還藏著戰俘。有人願意出錢做大爺，花冤枉錢雇人帶路。咱管不著。裝也要裝出那個樣子。反正美金容易騙。一幫人前後簇擁，護著中間的老美，趁水位高的時候摸上去　。」

地圖上，過了昌萊，快到邊界了。我指前面，提醒船家有一大塊險灘。她直著竹竿往前撐船：「別怕，咱有的是經驗。帶著老美來過很多次啦。有人就是不肯死心。只要告訴老美咱親眼看過，被打得脫了形，看起來還是白人模樣，關在地窖裡。他們就一定跟著來。眞的相信欸，腦筋壞了，打仗打壞了，怎麼說都信。」

點點頭我說知道。怎麼會不知道？那個小女人哈娜，算準了我不死心。去去又回來，騙走不少錢。

「再上去到了丹佬山脈，高山上終年都是瘴氣，」撐船的婦人說。我四處張望。河裡泛起煙霧，見不到山，眼前只剩下一片密密的綠。追著婦人的手指朝左望過去：「往西邊是滇緬公路，翻過山接到中國。那是二次大戰盟軍後方唯一的補給線。」滇緬公路，我爸跟孫立人遠征軍走過。跟錯了長官，爸也倒楣後半輩子。我爸在哪裡？彷彿正在暗影裡嘆氣。

冤啊，老哥，我親生娘常說的話：「哪間廟裡沒有枉死的鬼？」

岸邊有猴子，聽到啼叫的悲音。婦人指一條斜裡叉出的水道：「用腳走，通過大片的原始林，上去是佤族。您以爲獵人頭是傳說，咱媽媽是佤族。告訴您，眞的。」

「泥巴路旁排著人頭。信不信？頭切下來，掛在竹竿上。發出白色的燐光。」我說聽人說過，骷髏堆成一長條，夜裡比手電筒還亮，亮得可以照見路。

密林裡傳出各種奇幻的聲音。婦人吃吃地笑，一面回答我的話：「您問有沒有外人？白人早死光了。騙老美的。您還當眞？」

「要去看看嗎？算折扣給您。電視節目《世界尋奇》拍過好幾次，就是找咱帶路。包您看見最原始的，地球上最後一個食人部落。」

聽婦人嘰哩呱啦，我半掩住耳朵，嫌她吵。或者從一開始，她就把我看作可以撈一筆的凱子。不怪她。我確實是來尋人的，要找的人音訊渺茫。在婦人眼裡，我跟瘋瘋癲癲的老嬉皮有什麼區別？

老哥

泥黃的河水正快速翻滾。再往上，這條支流會到湄公河。

攤開地圖，湄公河從雲南下來，經過寮國，到西貢附近的三角洲出海。必定有某種理由，人們沿著這條河面失去影蹤。

沿河向前行，這條河接到金三角：壓低的雲，寬闊的水面，遍布著沙洲。彎曲的河道把土地裂分成三個國家。底下是泰國，右邊是寮國，左邊是緬甸。三角洲一度是東南亞的穀倉，後來成了三不管地帶。地圖上用豔麗的彩色標著哪裡找得到「罌粟」。清楚地標示，好像人們是去觀光農莊採草莓。

我在找大明星？還是沿河找那個女人？只有在這一帶地方，可能有人同時見過她們兩個。

船家婦人指著河岸兩側：「少數民族種罌粟，很平常，農作物的一種，作藥材，也當煙來吸。當然不犯法。世世代代的營生，犯什麼法？」拿來一袋菸，自己點上：「有沒有看過罌粟開花，每年一月，火一樣，燒紅了一片地。」

「不只紅的，還有紫的、白的，高地上滿山遍野，沒有比罌粟更豔的花。」我打個盹睜開眼，婦人已經講到昆沙姓張，有謎樣的身世，至少一半漢人血統。後來爭毒品地盤，跟國民黨的將軍火拚，雙方都死了不少人。

我又想到美斯樂，那個詭異的地方。孩子們用台灣國民學校的課桌椅，念中文課本。還有一塊段將軍的墓地。媽的，真冤，一路打到佛海、鎮越，接著斷了補給，自生自滅沒人管啦。

「花開完了，地要燒一次，現在剩下焦黑的土。可惜，您來的季節不對，什麼也看不到。」

看地圖，中國離我愈來愈近。不遠處就連到雲南。罌粟一路綿延，雲南自產自銷的「雲土」，在鴉片戰爭之後，成了全世界最上品的鴉片。

聽著，老哥，我昏頭了。想著開花的時節，田裡紅火成一片。岸上嵌著一塊生鏽的鐵板，灰黑的鏽斑上繞著蒼蠅，繞著很久以前留下的血腥味，飛機的機身？廢棄的砲管？難怪常有老美來這裡，繼續找越戰的戰俘。當年被擊落的飛行員，掉在河裡，從此失去音訊。

老哥，在這種瘴癘地，河面罩著一層蒼茫的煙霧。讓人直直往下墜。

或許大明星還在這，她只是兩腳踩空，一跤跌進煙霧中。

坐在竹筏上，我反覆在讀的是這一段：

淚水滑下來，順著男人嘴唇上面的鬚茬往下滑。眼看著淚水要滴下來了，她伸出手，替男人揩掉下巴上的雨珠。臉頰靠了過去，眼睛裡貯滿淚水，輕輕在哼歌嗎？她聽見自己的聲音：「除了你，還有誰，與我為偶。」

除了你，沒人對我好過。只要一個男人，如果有一個男人總跟在我身邊。

在男人懷裡，她等著自己的感覺上來，追趕上來。上來的一瞬間，覺得自己突然明白了一輩子不曾明白的事。

明白了友誼，明白了愛。那瞬間，她對自己有新的領悟：她仍然可以愛人，包括眼前這個男人，只要自己一點也不計較。那是無私的愛、不求回報的愛。

他告訴她，跟著我來就對了。你少些，一片掰成一半，平常人一半的劑量。

起先是男人在幫忙她。現在換他，他在等自己的藥性發作。

男人喃喃地說，你聽。聽那節拍。聽進音樂裡面去，音樂才是治癒你的藥，靈魂不能夠跟你的音樂分離。

鼓點子在水波裡晃動。不，她糾正他，你說的是：音樂不能夠跟我的靈魂分離。

聽那低音貝斯，跟著它走就對了。小女孩，緊跟著節拍，音樂是你的導引，跟著它，向水底下沉，到達你不曾去的內心深處。

「或者，帶我飛翔，沒有人到達的高度。」她接下去說。

然後她環住他的腰，很久很久不動。

看進他的眼睛裡，水水地泛著藍光。一條蜿蜒的河道，深入人們靈魂的祕境。

她拿起保羅放在床頭的書：濕婆神幫助人打開通往宇宙極樂之路。據說，女神的長髮是湄公河裡的水藻。頭上用罌粟花做裝飾，夾雜著沼澤地帶的菰菌。女神拿起罌粟的果實，吹一口氣，成為催情的春藥。

靈肉合一，這是冥思的片刻。

份量對了，不能多也不能少，這樣的時刻就會到來：她的法國男人笑著，溫馴地靠在她臂彎裡，傻傻地笑，絲毫不介意她的贅肉。

她要的就是這個：沒有一刻，他們之間的理解比現在深邃。

魚兒魚兒水中游，怕男人摔跤，她緊拉住男人的胳臂。男人指著河說，水裡有魚，這裡有好多金黃色的魚。

偶爾冒出水面，提振精神。男人需要大口呼吸。

接下去，High過了，才是最難捱的時辰。激流碰到峭壁，情緒就陡直急降。若不是有她在身邊，男人的情緒無從平復。

輕呼男人的名字，把燙熱的濕手巾抵住男人的後頸。擁著他，透過指尖，她知道男人正發冷，一顆頭顱在她臂膀底下靜靜地抽搐。

緊緊抱住他，繼續跟他說話。對著他耳朵說：「想我們在一起，夏天在巴黎，第一次見到。」

那一年，他們在錄音間裡相遇。兩人都需要某一種狀態，讓他們忘記這個世界。經過上次的打擊，她尤其需要旁邊有一個男人，一張厚實的背讓她緊緊貼住。

他們像溺水的人一樣需要彼此。

蓋著毛毯，旅館裡的冷氣很充足。她幫男人把毛毯拉高。再也不會冷了。我們選啊，磚砌成的壁爐。像這間旅館一樣。公寓有向南的陽台，落地長窗，縷空的柵欄，白色的雪紡帘紗，一閃一閃，聖誕樹小燈會從窗帘透出光亮，站在樓下就看得到。他們計畫怎樣布置新房子：白緞子沙發、柚木地板，擺玫瑰花瓶用的大鋼琴。裝潢當然是中西合璧。養一缸金魚，高人指點過的大鏡子，角落裡放個黃花梨太師椅。女主人經常下廚煮菜，邀朋友到家裡，圍一張熱氣騰騰的八仙桌。啊，親親，聽我說啊，這裡是渡假勝地，不如就在這裡閃電結婚。不不，還是回我的地方。台北舉行一次盛大婚禮。婚禮啊，可以請參謀總長福證。「你猜不出來，場面多隆重，官階多高的人會幫我們證婚，大將軍，一、二、三、四、五，五層勳章，掛在衣服上。」她自說自話。

「我不喜歡軍人。」保羅皺眉頭。

那時候她多有耐性。好像哄孩子，她細聲細氣說話。她讓男人吸吮她的乳房。她有好多好多母愛。那麼多沒用的愛、沒有用在別處的愛，她急著把愛給出去，取之不盡的寶藏。

沒有問過男人，到底要不要那麼多的愛。那場遊戲始終是她自己玩的。保羅咕噥說著自己討厭軍人，也討厭當兵。

粉紅色旗袍、粉紅色亮緞披肩，正在試穿敬酒的禮服。她裸身裹著毯子，這是一場玩不厭的遊戲。偏偏男人早洩，說吃藥的關係。後來他們又試過一次，每次都比前一次更不順利。

她擔心男人離開自己。到後來，只因為聽說紫色可以帶來愛情運，她把裡面外面的牆壁全部漆成紫色。

帶他來這裡之前，她已經盤算清楚：染上一種嗜好，愈陷愈深，無論到哪裡，男人才會跟著自己來。

「剛剛，好險。」她拍著自己胸口對他說，再多半片，你就掛了。

老哥

竹筏上讀那女人留下的手記。愈讀愈可疑。

什麼在拉扯大明星的腳步，讓她不能夠及時脫身？說不定，跟這裡有地緣關係。

沼澤另一邊，就是罌粟的產地。

後來，天色暗了，人生變得難以回頭。手記裡面無望地寫著：「晚了，太晚了。如果我們相識在童年，多好？」

只有你我，像我們這種過去的人，約莫可以猜到，至少替她拼圖拼得比較齊全：大明星做小女孩的日子是怎樣的？

那一年，大明星才三歲。反攻、反攻，反攻大陸去。民國四十四年，蔣總統宣布這一年是「反攻年」。美國已經表示不支持國民政府的反攻行動。七月，國軍突擊東山島，最後一次，台灣對大陸沿海發動攻擊行動。

我們在政戰課上唸過：國防部推行檢肅匪諜運動。徹查匪諜、徹查囤積。台灣省保安司令部實施流氓總清查。何應欽在羅福星的褒揚典禮中，訓勉本省同胞一起前仆後繼，踏著先烈血跡完成復國任務。

雙十節搭牌樓，慶祝蔣總統復行視事週年。時局仍然充滿不確定性。西門町成都路十號，西褲大王正在擴充門面大減價。永樂戲院排了壓箱劇目《長阪坡》，紅樓戲院上演的是《孤星淚》。靈芝疳積散據說可以消積化食。

老哥，我看見了：小小的她坐在床上，正照顧嚎哭的弟弟。

抱著我，藥力正在kick in，來了，快要上來了。在我身體裡，我知道什麼會來。你說，叫做「旅程」。同樣的藥，每次有不一樣的旅程。

你離我好遠，我好怕，總是剩下自己一個人。

穿過一個黑暗的隧道，我離校門遠了，離得又遠一些。請事假的日子已經超過學期三分之一，訓導處寄來通知，必須辦理休學。

這次，打開的又是哪一扇已經關上的門？

校門關上。背著書包走出校門。每踏出一步，就離開其他同學更遠一點，聽見鐵門拉起來的吱嘎巨響，還有一種細小的碎裂聲。一旦藥性發作，回憶裡再細小的聲音也聽得清楚：幾個音階叮叮噹，鐵鏽的碎片掉在地下。

不用做功課，上課鈴跟自己再沒有關係。站在窗前，羨慕地打量上學的學生。對著窗玻璃噓口氣，晨光裡背書包的身影。

緊接著好幾天：上鬧鐘，一大早把自己從床上拉起來，告訴自己起來上學。穿起制服，袖子伸出來，領子拉整齊，扣子一顆一顆扣起來。看著床前的鬧鐘，一分一秒過去，到現在為止，都是正常的生活。

下面的一個鐘頭呢？接下去怎麼辦，總不能夠背上書包往房門外走。時間拖久了，藥力不能夠持續下去。過去到現在，中間的一扇門被關起來。

好想走進校門，拉開椅子，坐下來。被罰站也好、站在防空洞裡也好，如果可以跟其他同學一樣，再一次站進隊伍，聽見擴音器裡的國旗歌，拉開手臂做早操，值星班長在司令台上叫口令：「向右看——齊。」好像列車開動，頭向右擺，左邊的一排手肘頂過來。簡單的事、順理成章的事。跟著別人做就不會做錯的事。

後來在路上遇見，拉著同學的手，想要大聲說：很久沒回去看看，帶我去看看校園好不好？我每天都在想，以前的老師同學。卻聽見自己淡淡地：「跟你們讀書做學生不一樣，很好玩。」臉上在微笑，掠一掠額頭的劉海，矜持地說：「頭髮怎麼梳都可以，我啊，常去美容院，這種日子比較有變化。」

「小皮球，香蕉油，滿地開花二十一，二五六，二五七，……」

橡皮筋上下甩盪，女生們在巷子裡玩到太陽下山。「滿地開花二十一，……二八二九三十一，……」

拉著弟弟，她快步走過他們。一大堆功課，家裡有做不完的事。

搬到一個新的地方，鄰居女孩敲門，伸出手牽她：「有沒有空？跟我們玩橡皮筋。」

好冷，後來就沒有人跟我說話了。勾著你的膀子，可不可以讓我取暖，為什麼這樣冷？你的鳥兒在哪裡？每次的旅程果然都不一樣。這一陣我發冷，剩下我一個人。胳窩給我暖暖手。你知道，幾次以後就沒人問我了。

靠我近一點。這裡的空調開得過分，一陣冷一陣熱，冷氣好強。

都沒人跟我玩，我一個人站在窗子後面。她們的橡皮筋愈舉愈高，高得過了頭，頭上再舉高一個巴掌。有時候一個人跳，有時候兩個人站成一排跳。穿著燈籠褲的腳抬高，往空中一勾，腳打拍子。她遠遠地看，劈開的腳又勾到了橡皮筋。「小皮球，香蕉油……」沒被橡皮筋絆住的人繼續跳。由低又變高，過了頭，橡皮筋擺到腰間重新開始。她躲在窗後面，猜得出那種規則。

不敢讓別人知道，自己不會跳橡皮筋。弟弟那麼小，家事那麼多，她從來沒有機會。如果走過去，會怎麼樣？……站在鏡子前，一遍一遍練習，她要說什麼？可以不可以？她滿臉通紅，讓我在橡皮筋上試試看。

如果腳踝被橡皮筋纏住，腳被纏住，會不會跌倒在地下？

那些女孩子坐在樹蔭下，輪到了才笑嘻嘻地跑上前去。站在窗子後面，她抬起腳，假裝成功勾到了，腳踝繞著橡皮筋：「三五六，三五七，三八三九四十一，……」

阿爸不用出門，整天睡在床上，身上有一團烘烘的熱氣。記得坐在爸旁邊幫大人搧扇子。她爸在打鼾。放下扇子，用小手指摳那片泥牆。用指甲畫娃娃，一筆一畫，刻上自己的名字。

緊緊抱著我。這一次，回到了過去。看見自己坐在小板凳上。

你抱緊我。事前做些準備措施，要不然，難受的是第二天，牙關節會抽痛。給我一根棒棒糖好了。

她舔舔嘴角的糖汁，用指甲在牆上刻出紋痕。一個娃娃旁邊，她又用指甲摳出好幾個娃娃。頭上三根毛的是男生，彎彎曲曲的鬈髮是女生，娃娃們手牽手站成一排。除了自己跟媽，其他人都是男生。「一家人靠我一個，格老子，當我老牛車，」爸對隔壁伯伯發牢騷：幾張嘴要吃飯，壯丁在抽條長高，一家人把我拖垮了。她用指甲摳出一個大圓圈，把幾個娃娃都圈在裡面。這是爸成天掛在嘴裡的「一家人」。

媽帶著她趕場。從一個後台出來，趕緊到另一個後台。換衣服只要五分鐘，抓起皮包裡的粉盒，她往自己臉上再撲一層。有人從後面推她，匆匆被推出前台。

喘口氣，教自己不要太緊張，站在台上用力深呼吸。一首歌唱完，趕緊大口喘氣。喘氣的空檔，她聽見舞台底下有人說：這個小女孩乖巧。

每一句歌詞都給一個輕而嗲的結尾。好像對著你的耳朵眼在吹氣。不用人教，她就悟得出來：這是討人喜歡的唱法，總在做這種練習。

爸跟隔壁伯伯說，發了，機會來了，窮了一輩子，總算翻身有望。看看人家標題下得多有學問，「初試啼聲亮晶晶」。說我們丫頭甜嗓子，中氣十足，拖長了還有氣。晚報上寫得更捧場，丫頭的嗓音發自肺腑，小小年紀，不是童音，卻又毫不世故。

她對著鏡子，「晶——晶，晶晶——孤零零——，」學著把那口氣含住，輕輕地嘸一半回去。剩下的半口氣在鼻腔裡繞了半轉，「想起了小時候，」她跟唱片，專挑不容易唱的段落，一個轉折，隨著唱針慢慢鬆開喉嚨。她尤其喜歡小調：那首《採紅菱》，「的呀的郎有情、的呀的妹有意，」唱到「的呀的」那個「的」字，陡然降下去，一下子低了好幾度音階。練了幾次，她就知道自己唱得像回事。還有一支《康定情歌》唱得滑順。挑來揀去，那是最適合自己嗓子的民謠。「跑馬溜溜的山——啊嗯嗯上，」她彎轉氣口，餘音在舌頭邊打轉。「一朵溜溜的——雲喲，」聽著自己聲音從雲頂上溜滑梯下來。

爸戴上老花眼鏡，你們都過來，一起讀這段：「大將之風，喉頭圓潤柔軟，帶了花腔的高亢清脆：一點溫柔一點纏綿，有繞粱三日之感。」爸搧搧報紙，對著隔壁伯伯說，報館裡這個筆名「顧曲周郎」的，識貨。

天才，知道我們丫頭無師自通，絕對是天才。「嗓音賽似小周璇，不需名師出高徒」，爸把那張捧場的報紙黏在門板上。

「想起了……小時候，她想起自己，」小——小的小時候，嘴巴張大一點點，「喝完了這杯，再進點小菜，」小的，小小的，她把情感灌注在「小」字上。

吃了藥，等它發作，好喜歡這段時間，可以湊在你旁邊唧唧咕咕。

外面的光線刺眼睛。關上窗帘好不好？那時候，最怕唱完了還要陪人應酬。她站起來敬酒。「小妹妹親一個。」油光光的男人臉，真想用力推開。轉眼間，那張臉對著她的胸脯又靠過來。她望望媽，一張圓桌，媽坐左邊，胖子坐在她右手邊。

「人家就是對你有意思，」主人醉了，或者是裝醉起鬨。指她旁邊那個胖子：「情話不要對我們說，留著對周總說，」胖子身體趁勢靠過來：「不是，不是《路邊的野花不要採》，嘿嘿，我要聽，《家花哪有野花香》。」

過了多久？後來我才懂得了躲閃。她盤腿坐著，用手掌按住男人的背，男人的臉貼著自己肚子。知不知道我好空虛？她撫摸男人軟軟的棕髮。那時候太小，怎麼辦？當然不懂，怎麼會懂？幾年後，才知道該怎麼應付：撒嬌得了，我會，哪個女孩不會？「伯伯」叫一聲，我們划拳。她把手放在桌面底下，推推伯伯的膝蓋，總有辦法讓人甘願掏錢出來。

你摸我的手，現在又濕又冷。我的藥力趕上來了。你背脊沾著我手上的汗。

「猜哪隻？輸了我乾杯。」那時候，她跟大姊姊學的，很有氣魄的幾句話。來，鈔票擺在桌上，喝完了這杯。別欺負我年齡小，誰跟你玩假的？才不，不依你。她抓起桌上一把鈔票，塞進媽的手帕。

對媽使個眼色，她站起身，媽媽應該跟著站起來。再看一眼媽媽，別忘了喲，鈔票包在那條手帕裡。

把男人的頭搓揉到胸前，貼著自己溫熱的乳房。還好有你，你跟著我，現在我有你，現在都隨我。高興怎麼寵就怎麼寵你，我甘願。

那時剛剛出道，才站上台，麥克風還沒拿穩，台子底下有噓聲，一圈圈惡毒的眼光。「小妹妹，脫，你脫啊！」

場子裡誰都不認得，想要逃走。回頭張望後台，多希望媽這瞬間過來，拉起我的手走出去。

我媽老實，緊要關頭一句話說不出，只會害人乾著急。尷尬的時候，反而需要站起來替媽解圍。

從小，我就發現了那個祕密：危急的時刻，沒有人會來搭救我。

我媽一句話都不說。本來可以站起來，拉著女兒的手走出去。我媽沒那麼做。看著桌上的鈔票，我媽低下頭。

後來，氣我媽的也是這樣，裝作沒事人一樣。以為不說破就好。站在台上，真怕人家拍手。第一句還沒唱完，只是前奏，幾個熟悉的音，底下的觀眾就拍起手。

聽到台下的掌聲會緊張。尤其這幾年，前奏冒出來，觀眾就希望我唱得跟以前一模一樣，一點沒變。你以為他們是我的 fan，煩死人。最討厭那些死忠歌迷。買我的唱片沒錯。成名要付的代價，他們等著從我身上追討回來。

好花不常開，好景不常在，好可笑，我的歌迷從來沒聽懂我唱的歌。

老哥

那晚上在岸邊住店。貼著旅館的床罩，漿洗過的味道，殘留宿醉的嘔吐物、生殖器的膻腥氣。走廊躺著成排的病號，鏈黴素與濟眾水，愛滋患者在這裡交媾。我做了奇怪的夢：轟炸機的聲音在頭頂上嗡嗡作響，殘缺不全的屍體覆蓋在草席裡面。順手拉過來床罩，裡面包著舊軍毯。反潮的霉味刺鼻子。我見到孩子坐在木板床上，他們家男人哪裡去了？我家的男人哪裡去了？瞪著空了的奶粉罐，她把小小的自己裹得更緊一點。

這些日子，我想的不是女人，媽的，眼前是一個孤單的孩子。

老哥，可憐她從來沒走出童星的身世。大明星長高了，她的聲音沒有長大。人們寧可她留在那個年代。兒童節要節約糖果費，慰勞前方將士。買一台收音機敬獻三軍。豬肉、加菜金、遊藝歌舞。她的歌聲簡單，一點也不複雜。老哥，她對應的時代過去了，一口鄉音的男人回不了家。媽的，我老爸身上也有洗不乾淨的刺青，殺朱拔毛，匡復失土。

有一年，好像有那麼回事，老蔣瞞著美國實現雄心壯志，配合泰北孤軍牽制西南，從東南福建悄悄奇襲回去，弄得空降部隊全部殉職。報紙上黑壓壓的名字，我老爸緊張地比對，沒有自己老鄉、還好沒有認識的人。

記不記得？那是雪恥復國的年代：電晶體貼在耳朵旁邊，大街小巷，人人在聽三軍球場的實況轉播。萬眾一心，陳祖烈是我們的英雄偶像。

那年代，中國與菲律賓並稱亞洲二強，在報上做出田徑記錄對照表。我們自稱爲「中國」，沒有一點懷疑。

老哥，你沒忘吧？一輛腳踏車七百元、一碗陽春麵一塊錢，剛出爐的火燒五毛錢。媽的，生活眞簡單。老哥，我們小時候，報紙的寫法是這樣的：「有一名姓黃的戰士，一個人活捉了五個匪兵。還擄獲一門八二重迫擊砲、四桿俄式衝鋒槍。」報上有聞必錄，校長在朝會司令台上照著唸：「那名戰士笑著說，說來似乎使人不敢相信，但卻是千眞萬確，一個被俘的匪軍也天良發現地說，早知道你們這樣好，不該與你們接火呢！」

老哥，我們被騙了許多年。

「若是你到小城來，謊言特別多。」她是不是這樣唱的？

你知道，我沒機會像別家女孩一樣長大。做我們這一行哪有安全感。今天紅，明天就黑了，有時候，純粹是運氣，自己也不知道為什麼。

想清楚了，別的都是假的，那麼為了錢。做這行的，誰又不是為了賺幾個錢？

後來啊，告訴你個祕密。發現了一件事，啊後來都不重要，重要的不是，偏偏不是後來賺到手的東西。重要的，你靠過來，我要對著你的耳朵說，我告訴你，重要的是，呃，我看見了，呃，一種很奇特的光亮。

那裡有光，你看見了沒有？喂，你輕推那扇籬笆門。小時候我床旁邊有一窩雞。蹲在雞籠外面，雞籠裡有一個燈泡，外面罩著破布。剛孵出的小雞怕冷，那是全家人的希望所寄。鵝黃色的絨毛，金黃色的燈光，像你的鼠蹊，那個三角地方。小雞的胸膛，濕濕軟軟的。

我從小就知道，得不到的東西，得不到的東西會發出一種，呃，一種很奇特的亮光。

加一片還不夠？你這個druggie，你的藥效究竟上來沒有？

我不能夠再哈了。這時候，如果放進一個亮晃晃的燈泡，放到我的胸口裡，大概會發出電力不足的警告燈！

那時候，馬路兩邊好黯淡，只有稀疏幾點星光。三輪車一腳一腳地往前踩，弟弟跟我一樣蹲著，我爸借到了錢。同鄉真是大好人，看我們拖大帶小的，借錢不說，還幫雇了車。我爸我媽坐在高高的椅子上，兩個小孩蹲在車夫的座墊後面。弟弟蹲右邊，我蹲我媽腳旁邊，第一次坐三輪車，兩隻手緊抓住坐墊底下生鏽的鋼環。上坡時，車夫用力，屁股就離開座墊。銅環上掛著毛巾，一股衝鼻的汗味。

弟弟推我：「姊，車夫放個屁怎麼辦？」

踩上坡路，車夫腿肚上暴起青筋，蛇一樣的靜脈瘤，蹬一下就弓起蛇身。

借到錢，交了敬師金，去小店買上面印注音符號的墊板，還有一格格的作業簿。還掉上個月的菜錢，媽可以帶弟去看瀉肚子的毛病。

後來，我跟我媽坐在三輪車上。那時候換成我在養家。豆大的雨點落下來，閃電的一陣白光，看得到路上的積水。一大張橡膠布的黑雨篷，車夫從座墊底下拖出來，一個一個扣眼掛上去，濕漉漉的霉味包圍著，坐三輪車趕場的歲月。

三輪車掛著一盞照路的燈。車燈連著龍頭，經過行人身邊，車夫叭噠噠地前後撥動煞車桿。

我們這一行，走埠賣唱是為了多賺錢。有機會出國作秀也一樣，為的還不都是幾個錢？

有時候，唱完上一場，接著就要到中國餐館給人家請客。不能不賞光，否則就是不給面子。進門是昏暗的大紅燈籠。她點點頭，王董您多栽培，聽得耳朵出油？謝謝您，高興您又過來捧場。一見王董就想笑，你那翩翩風采教人迷。

她必須奉承每個人，不能累、不能煩。從小嘴巴甜，她的人緣最好。

她坐在三輪車上，濕漉漉的雨篷，一股潮濕的氣味包圍著她。這裡是哪裡？往日時光回來了，三輪車趕場的歲月。頭伸出車篷，雨珠從臉上滑落，經過脖子，流進領口，淌到心房裡，心臟還在跳動，那季節每天都在下雨。

三輪車走在巷子裡，總叫車夫小心，不要濺了走路的人一身雨水。電線桿接來的電力不足，路燈發出黯淡的黃光。車夫拉下雨篷，人家看不清楚車裡有沒有坐人。手臂貼著男人的手臂，「你知道嗎？雨季到了，暴雨下一陣，河裡的水漫上來了。」她自言自語。為什麼拉你來到這裡，因為好像我們台灣啊。偎在男人身邊，好像回到了家。我們台灣多年前就這個樣子。靠在男人肩膀上，小聲說。

老哥

躺在我旁邊，撐篙婦人湊過來，給我一袋菸。媽的吸幾口，老母豬都變成賽西施。婦人的動作很熟練：一撮陀羅的種子，幾塊昌蒲的根莖。婦人跟我保證，都是自然成分。她看看我，你這衰樣的，需要麝香，跟鹿茸一樣有效，她解釋，麝香是麋鹿發情期，喔，婦人指指自己大腿窩，麋鹿胯下的腺體分泌。她又拿出一小包偏方，說是公龜的生殖器烘烤，磨成粉，奇淫的藥。

幾種粉末攪拌在一起，沾在菸斗上，婦人把菸嘴湊到我臉頰邊。

女想男，隔層單。老哥，藉著那袋菸，我配合得一點也不困難。頭塞進她的乳溝，手向她的下體摸過去。原來並不勉強。男人能夠做的我都做了。

後來睡得挺好。沒有熱情，做了應該做的。

我默默告訴自己，美雲離開了，大明星也不見了。我必須要習慣，習慣這一次，比這一次更難忍耐的也要勉強自己。如果停留在過去，一次比一次只會更糟糕。

但願你能理解，老弟我也是在戮力從公。媽的，行業守則那一套，騙自己的。這種地方，我身上有不少舊傷。媽的，人總有例外的時候。無論如何，大明星的經驗要親身體會。

老哥

整晚上點著蠟燭，讀帶上竹筏的手稿，唸得順口了，就可以跟著這樣的文體寫一段：想著她從船邊彎身下去，看見蚊子，她動一動自己懸空的腳趾頭。腳底下一潭髒水，她閉上眼，寧可這裡是乾淨的水面。灰白脖子的水鳥，在水面晾翅膀。那時候爲了學作詞，大概背過幾首詩詞。她隨便挑幾首來背，只是覺得押韻好聽：「興盡晚回舟，誤入藕花深處。爭渡，爭渡，驚起一灘鷗鷺。」動也不動，船擱淺了，她到了死水的深處。

怎麼樣，像不像？不只粗線條吧，跟你說過我粗中有細，看多了就會，我也學會模仿女人的口吻。

她躺在這裡？或許就躺在這條河底下。感覺上，我離她愈來愈近。

下了竹筏改陸路。我徒步走到邊界。過邊界就是緬甸。一堆賣假玉的攤販，眞的假的，我到底爲了什麼？

滿地的泥濘，坐在屋簷下的都是女人。青壯漢子都到大城市謀生去了。女人好奇地打量我，媽的，這一路，我始終圍著女人在繞圈子。

老哥，聽說大明星生前自己塡詞作曲。她用帶著鼻音的聲調唱過：「不知天上宮闕，今夕是何年？」

隔著窗玻璃上的霧氣，嘴唇在動，她在對我說嗎？臥在保羅旁邊，她想要對我說些什麼？

「是的，輕輕叫我的名字，Trans——Transformation——Transgress——Transparent，我喜歡你叫我，呃，三個音節，Te——re——我喜歡這麼多以T開頭的字。」

「你覺得舒服？」

「陪著我，我好舒服。」

「繼續陪在你身邊。」

「直到我死的時候？」

「直到你死的時候。」

「那麼多的軍人愛你，我看過的場面，他們為你瘋狂。」

「他們不愛我。一點也不愛。」

「可是你那麼有名。」

「所以，告訴過你，我們必須要來到這裡。」

「『夜巴黎』，你知道它代表的意義？」

「巴黎，你只知道『巴黎』。」

「我以為你跟我說過，你喜歡巴黎。」

「親親，你不知道我經歷過什麼。」

老哥

轉了一圈回來清邁。去郵局取信，匯款已經在我帳戶。哥們還是哥們，我們的默契回來了。

老哥特別交代的事，我正在找眞憑實據。幾天前回到城裡，就挨家挨戶每個店面打聽，交易地點也都去探門道。有幾次，想弄點消息，人家當我耙仔來對待，弄得我這兩天一肚子大便。

問過旅館附近的三輪車班頭，他們說記得見過他，瘦高小子，紮個馬尾巴，眼睛紅紅的，一看就知道吸過。再問下去，三輪車夫又打馬虎眼，大概怕了。半天吐不出一個屁。後來勉強說，大麻，猜是大麻吧。在這裡，大麻其實不算什麼。毒性加碼上去：有MDMA，有安非他命，有LSD，致命的像鴉片與嗎啡。最頂級的還有海洛因。誰知道小公雞愛上的是哪一種。

三輪車夫閱歷很豐富：告訴我這裡靠近產地，成分純粹。藥癮大的，不一定需要針頭。吞下去也就夠了。

地毯式掃了一遍，後來在她住的旅館附近，又打聽出一個賣雞鍋的，說是眞的見過這麼一個法國人。說記得這個顧客，入夜以後胃口最好，老是出來端一大鍋湯湯水水回去。老闆告訴我，他們上癮的都這樣，過後就是要吃，需要補充大量水分。

老哥

看完信保管你精神大振。老哥，我的預感一向神準。很有可能，大明星真的沒死。哈娜拿給我全新的手稿。這回小妮子學乖了，不再跟我耍花樣。確實是新寫的。章節分得清楚，跟上次在美斯樂找到的同一個模樣。

所以，人沒死，正在哪個角落等我們去找她。

想想大明星生前，傳出過多次死訊。沒有一次是眞的。尤其說她是精神污染的那一陣，傳說老共還下暗殺令。謠言多了，這一次，難道就不可能是假的？

給我一點時間。相信我，她在某個地方留下了記號。

直覺是她還活著：這一章大概不久前才寫完。多有意思，剛開始的標題就叫做「究竟有多少種可能」。

1 究竟有多少種可能

或許只是吃多了藥。

等到明天早上，她在晨光中醒來，反轉手臂拉開抽屜，她會記得吞下舒活胸腔的藥丸。

前半夜，她滿頭冷汗地睜開眼。她摸出去，旁邊是男人的背。定定神看清楚：背上稀疏的曬斑，一點一點棕黑，襯托出皮膚不健康的白，失去色素的青蒼。

她記得，用力推男人肩膀。

她突然提高聲音，以為我不知道，你，你你，拿走我多少錢？

睡前的最後一個念頭，下定決心要離開他。準備好了，把他攆走，現在就走，一刻也不多等。她明明記得。

好像伸手打了男人，你這個druggie。

怎麼樣都不應該動手，她咬著嘴唇想，那是事情無可挽回的原因。

閉著眼睛，她依稀可以看見：那雙長腿從大廳走出右側的旋轉門，下台階就是旅館游泳池。穿過落葉植物，繞到發放浴巾的長桌子，水泥地上擺著一排排洋傘，躺椅上是露出白肉的美國胖子。池水裡漂著枯葉，暴雨過後還沒有打撈乾淨，胖子在池邊曝曬不見陽光的肚皮。

游泳池側門對角就是機器三輪車的班頭。隔著馬路，她依稀看見幾輛車停放在夜市入口。

保羅招手，長腿跨上了車。馬達啓動，機器三輪車一路往前急駛。

後來又被雷聲驚醒。蜷起身子挨過去，保羅已經回來了。

她坐起來，床頭櫃上，翻開的帳本，剛才停在這一頁。意識清楚的時候，她記起來一些事，睡前沒做完的事。

平常的日子，記完帳，就會拿出鈔票數一數。數目對了，再把錢放回皮包裡。皮包壓在枕頭底下，她拍拍枕頭睡下。是自己沉不住氣？還是這天合該有事？推開帳本，她準備熄燈，一瞬間卻又氣起來，算不清的都是保羅從皮包裡拿去的錢。

用力推保羅的手臂。你聽我說啊，不碰上通貨膨脹，沒新的進帳，每年的利息還夠花。她愈說愈有氣：像你這樣，無底洞欸，總有一天動搖到我的根基。

轉過頭，對著保羅耳朵吼出來：這樣花，我的錢總有花完的一天。

2 證詞與證物

危險群的患者往往對外充滿敵意、憤怒、叛逆、憂鬱、家庭不和。

醫學博士／包爾．哈納威

比較另一組情況相似但存活的病患之後，發現有很大的不同。所有因氣喘而亡故的患者都有一些嚴重的情緒問題，這是存活一組所沒有的。

／Dr. Robert Strunk

3 這是另一種可能

她睜開眼睛，窗門都關好了。

她費力地轉動眼珠，哪裡來的冷空氣？毛巾布的浴袍拖在地毯上，白色腰帶一路拖到門邊。

她翻過身。「保羅」，她大聲叫喚，男人沒有在外面的沙發看錄影帶。

雙腳站在地下，她想起來什麼。所以男人走得匆忙，一邊往外走一邊脫下浴衣，關門時候伸胳臂套上T恤。

她打開燈，看見拖在地毯上的皮包，零錢散到地下。她的臉色變了。

下一刻鐘，她坐在床上。一分鐘一分鐘過去，她在等保羅進門。

後來他回來了。像每天晚上一樣，男人在床旁邊看著她服藥。

坐在她的床沿，男人手裡拿一瓶礦泉水。幾分鐘後，整瓶水翻倒過來，朝她嘴裡灌下去。

塑膠瓶轉開，食指與拇指捏著她的兩頰。男人用了點力，一顆接一顆，許多膠囊掉進她的喉嚨裡。

4

證詞與證物

說我沒好好照顧她？平常連她去洗手間，去久一點，我都會擔心。

／保羅的話

問過，當然問過，要你在她身邊做什麼的，為什麼不好好跟著她？那個人要那樣耍賴，也拿他沒辦法。

／弟弟的話

5

還有一種可能

噹地一聲，電梯停在這一層，腳步出了電梯門？一步步踩在地毯上。她坐直身子，緊張地告訴自己，有人來了。

上次有個毒犯爬到頂樓，從頂樓跌到地面，臨死之前，先拋下來一個裝滿海洛因的手提箱。雖然警署抓得很緊，城裡唯一有暴利的買賣就是毒品。

宣傳的小冊子上警告：警力有限，遊客的安全要自己當心。中英文對照印著：這家旅館位置適中。但是購物的巷子錯綜複雜，遊客容易迷路。過了街，夜市出口在這一家旅館的後方。

塑膠布棚子底下一家連一家的攤位，假錶、塑膠蘭花、木刻大象，賤價的麻紗T恤與泰絲裙子。紀念品旁邊是賣乾貨的攤位。逛了那麼多次，她閉上眼睛就看得到。

她聽了一下又安心了。不是進來這間套房，她聽見鑰匙轉動的聲音。房門帶上了，隔壁的房間有人走出去。腳步消失在走廊盡頭。

脖子裡冷颼颼的，她突然警覺：隔壁應該是空屋，日本人退房就沒有住人。那麼是這裡有人。有人在床前移動腳步。她聞到熟悉的菸味。保羅回來了？想起他臨走前撂下的狠話，下意識地，她用手摀住後頸。

她怕吵，早就吩咐過總機，電話不准接進來，搭錯了線也不可以，沒有人會打電話給她。

沒有人會在這個時候趕過來救她。

她喃喃説著，我不要死在這裡。

類固醇的用藥反應？她雙手亂抓，想要抓住男人。噴霧劑失效了？幫幫我，恨不得一把把空氣，大口吞進去。

「不要，不要那麼激動。」保羅擺脫掉掐在脖子上的手：「放手，沒人跟你玩。你在發高燒，瘋了，你在找死是不是？」

有人站在浴缸前，把她推進水裡？

「那年花落時——」她瞪大眼睛。「那年花落時，相約在今日，」一個人泡在浴缸裡，她躺在溫水中輕輕哼著。

夢囈一樣，她跟自己說，早應該離開這裡。

剛才她要保羅做那件事，用舌頭吮她的乳頭。乳房湊到他的嘴跟前。男人輕輕地吸吮。感官集中在胸部一點。她說，就這樣，不要停。好孩子，這樣我才會放鬆，睡意才會上來，我想要睡得熟一些。她彎過手臂，攬住保羅的腦袋。她不喜歡他離開，每次她剛有睡意，男人的身體就離開她。這種時候，她不喜歡反抗的孩子，她要保羅繼續像剛剛那樣子吮她。

沒有感覺？感覺到沒有，有嗎？還沒有嗎？聽你的話，我正順著你說的痛點往上移。男人在幫她按摩腰脊。

她說，繼續，用力壓下去，感覺我的經絡，用力捏旁邊一條筋，我的肩胛骨好痠。

男人的手指捏得更重。往上一點，再往上，順著脊柱一路上來，她感覺脖子軟了，頭骨卻正在裂開。一陣暈眩，她不知道怎麼反應。

後來她仰面躺著，像一個死人。勉強張開眼睛，她看見自己腫大的腳板，浮屍一樣漂在水面上。

人們說，她已經走到路的盡頭。

只會花女朋友的錢？說我是gigollo？事實上，我們早就開了一個聯名戶頭，銀錢上根本不分你我。

你們當然不必知道：那時候，我們已經談到婚禮的細節。

／保羅的話

關於氣喘對性愛的影響，科學報告指出：性行為所需的運動量，相當於每小時走三英里或爬兩層樓梯。對某些嚴重的患者，性行為帶來的運動量將令胸腔不堪負荷。氣喘病人的守則之一，性行為之前，必須使用吸入型擬交感神經作用劑預防突發狀況。

／《氣喘病的預防與治療》

7 剩下的一種可能

她的手指從一個瓶子摸到另一個瓶子，這瓶鬆弛肌肉，那瓶止咳。一罐安眠，另一罐止痛。醫生一遍遍提醒：一種膠囊不能和另一種膠囊混合服用。

念頭第一次到她的腦海裡：白粉牆、白床單，有人躺在旅館裡，同樣在這張床上。說不定這裡真的死過一個人。

只要換一條床單，吸塵機把地毯上的毛髮吸乾淨，牆邊與床腳噴灑殺菌劑與芳香劑。打掃一個上午，一切就恢復原狀，沒有人覺得異樣。過了幾天，又有新的旅客搬進來。

她想著另一個人，躺在床上做同樣的事。說不定是女的？說不定還是個母親？下定決心，她的小孩在另一張床上鼾聲正濃。像當年那位影后一樣留下稚子。藥效發作的時候，兒子說不定正在母親床邊玩小火車。

人們愛問這樣的問題：她怎麼捨得？

真的放得下？記者追著家屬問：「為什麼？為什麼做這麼決絕的事？」自己走得乾乾淨淨，把別人丟在莫大的困擾裡。之前她為一家人做的所有好事，放在天平的另一邊，都抵不上。

她告訴自己，打住。不要想下去。雖然她知道：這個念頭注定會再回來。

念頭立刻又回來了。她認真想著，畢竟這才是為自己做的選擇。看多了落地窗外淺水灣的落日，人人都有想不開的時刻。想當年，影后也是同樣地活得膩味，吃下大把的藥，還有滿滿的一瓶等著吞下去。影后躺在自己家裡。不像她，剛好住一間旅館套房。不會給任何人添加麻煩。理想的選擇，她昏沉地想著。如果有天堂，不知道像不像這裡的旅館，打個電話吃的東西會送到房門口。

她迷迷糊糊地慶幸著：容易達成心願的地方，比起自己家裡，一步就直接上了天堂。

不難，一點也不難，她想到做這件事的方法。周圍的人都可以輕易脱身。所以她只是拿錯瓶子，吃錯了藥。

老哥：

你往下看啊，究竟有多少種可能，重點是有一線生機：人還活著。

所以眞的是她，不是靈異故事。難怪傳聞始終不斷。上次在她墓園，有人聲稱看過戴墨鏡的黑衣女人，酷似一個熟悉的影子。報導繪聲繪影，閃光燈電池太弱，差一點，就拍到女人墨鏡底下的淚痕。

所以她逃走了。有人幫她規畫逃生路線，找到一條曲折的通路。搞不好，當年民運分子用的也是同一張地圖。隔了幾個月後，一封平安家書寄自雲南大理，山腳下不知名的鄉村。

像手稿寫的，最可能的情況是跟男人賭氣。大明星張望了一陣，從游泳池的側門出來。這裡我找到一位目擊證人，看過慌張張的女人背影。證人記得那個女的沒穿拖鞋，光腳跑到馬路上。

天安門事件之後，媽的，她還真好心，聽說她一路在接濟民運分子。

後來我們讀到報紙，其實都是有人在亂放消息。絕不能夠相信記者的那枝筆。寫她光著身子爬出來求救。寫她披頭散髮，倒在旅館的地毯上。

趴在走廊地毯上，記者聽見她嘴裡在叫「媽媽」、叫「保羅」。媽的，眞會掰，記者好像湊巧趕到現場，湊巧也趴在地下，聽見她悶著聲音喊，喊的是在這個時候不可能趕過來的人。

老哥

香菸一支接一支，這幾天我總在琢磨，她怎麼逃出去的？媽的，腦袋想得發脹的時候，我就閉上眼睛，一遍遍反覆聽她的歌。歌詞裡必定找得到答案。縱使天邊有黑霧，也要像那海鷗飛翔。

那年她四十二歲，沒有完全停經。或許她意識到危險，時鐘滴答滴答，剩下的時間有限。於是她告訴自己，還來得及開始一個新生命。

預告片一樣，我在腦袋裡放映最驚悚的片段：那一天，她扶著洗臉檯，勉強睜開眼睛，看見鏡子裡的那張臉。

眼裡布滿血絲，兩個通紅的窟窿。站在鏡子前，記起來揮拳的動作，她還能夠感覺到尖銳的痛。她告訴自己，不要慌，打開衣櫥裡的保險櫃，只有她自己知道密碼。重點是把鈔票攢緊在手裡，男人回來之前，趕快離開這裡。

趿著旅館裡的塑膠皮白拖鞋，她快步往外走。只要出了電梯，走到櫃檯前，從大廳裡她可以叫計程車。

電梯打開，男人剛好走了出來。鉗住她的手臂，男人把她拖拉回房間。

一刻鐘後，電梯門又開了。走廊裡沒有別人，男人再一次走進電梯。

一遍遍聽她的歌：問彩雲，何處飛，願乘風永追隨。往下墜落的一瞬間，但願她身側長出翅膀，眞的飛起來了。

於是讓我們再換一種可能：大明星的運氣特好，趕在男人回來之前，早一步，她已經機警地離開那裡。

快步走出旅館大廳。接下去，往哪個方向走，完全是本能反應。很本能地，往河的方向走。亂走一陣就迷了路。

聽見有人的腳步聲，她低下頭，矮著身子，快步躲進河岸邊的樹叢。雨季就要來了，水位升得很高。芒草堆裡藏著走私的快艇，船艙底下一袋一袋白粉。這裡是毒品的集散地，滿布細緻的水道，分銷全球各地的祕密運輸線。

趁著夜色，她躲過盤查。太陽升起之前，那艘小艇消失在蜿蜒的水道間。從此家人找不到她，世人放過了她。老哥，大歌星終於過起平凡人的日子。

她乘著快艇漏夜逃走。我們看見的「死亡證明」是個幌子。一具不知名的屍首讓她金蟬脫殼。一樣是這條河，說不定，情人與她約好在另一個口岸相會。一個男人？或許是一個女人？記不記得幾年前她酷愛男裝打扮，等著她的，說不定就是以前傳聞中的女人。至於眼前這個外國男人，只是她瞞騙大家的幌子。

老哥，大明星很早就唱過：誓相守、長縫綣，歲歲年年。她始終在暗示著一個機會。水道接上了罌粟，她遇到縫隙就會逃出去。

這麼說，老哥，心機深沉的人一直是她。謠言傳得正烈的時候，大明星在製造一層煙幕，她隨時想要躲起來。

有了死亡證明，尚欠一具年齡相仿的女屍。高矮沒關係，躺在棺材裡，化了妝以後，白粉粉的輪廓都有幾分酷似。沒人注意她，下手的理想時刻。城裡愛滋蔓延，性交易正在進行，醫院裡充斥著末期病患。各種選擇都有，這是她可以從容安排的地方。

老哥，接下來的一切只是將計就計。

等一個巧妙的安排，就可以逃逸無蹤。手稿附在後面，這一章應該叫做「重新出現的可能」。

1 無非是一條生路

摸著浮腫的一張臉，她看鏡子。她打聽清楚了這裡的法律：冰櫃拉過來，隔著一層玻璃，遠遠地指認屍體。沒有人能夠近距離看她，沒有人有機會端詳最後的遺容。

她拉上窗帘，換了便鞋，穿的是輕便的褲裝。再多一點時間，必須安排的小事都會弄妥當。

手握著門把，看最後一眼，她帶上門，記得把「請勿打攪」的牌子翻過來，套在門把上。

前一瞬，她對著電話講了五分鐘。「說好了，這裡我會收拾。」「我知道，只帶一個小包。」

「先留在櫃檯。」她果斷地說。

夢鸞一樣，她跟自己說，有了接應，就可以從容離開這裡。

2 證詞與證物

像她這樣的藝人應該得到國家級褒揚——我們贊成她進入忠烈祠，至少應該葬在國家示範公墓。

／某報社論

我們家屬原本希望葬在五指山的一塊地，然而與國防部現行管理規定不符。她生前以守法為榮，我們就不再堅持。至於有不少榮民出於自願，主動提供其身後國軍公墓保留地一事，家屬表示萬分感謝。

／家屬聲明

3 重新出現的可能

她告訴司機繼續往下開，渡船頭就在下面，她記得一點點地形。上一次，雇的出租車從山裡開下來，車子經過幾個部落，露著雙乳的婦人大方地對著她笑。那時候她噓一口氣，跟保羅說：這裡多好，再沒有人認得我，就算剝光衣服，沒有人會多看我一眼。

在這裡，沒有人在乎她是大明星。

走唱的時候坐火車。車站暫時停靠，她朝鐵道後面的住家張望。籬笆上爬滿牽牛花，每一家門口都晾衣服。她的鼻子在車窗玻璃上左右滑動。好像看見竹籬笆裡的女人，白淨的臉沒有搽粉。一雙手泡在水盆裡，早晨起來就有等著洗的一盆衣服。貼住車窗，她的嘴在玻璃上哈出一圈白霧氣。如果有機會，像別的女孩子一樣。不用臉上堆滿笑容，稱呼每個不相干的人叔叔伯伯。嫁到平常的人家，每天早上晾一竿子滴水的衣服，「日子過得怎麼樣？人生是否要珍惜。」她小聲地哼。

司機朝她擠擠眼，這位太太，奇怪的事情多了，這裡男的女的都有，保證讓你大開眼界。你以為裝著義乳。錯了，乳膠啊、矽膠啊的化學原料，原來的乳房放在手裡揉一揉，變成了陽具形狀。搞不過吧，魔術方塊一樣，陰的陽的由客人隨意組合。

踩快一點，我們直下渡船頭。她認真地說。

竹筏吃水很淺，腳踩進砂裡就上得了筏子。她坐在板凳上。進了一點水的鞋子，晾在竹子做的桅杆上。

撐船的人說你要小心，沿河上去，水邊的蚊子傳染各種病：「肝炎、愛滋病、傷寒、霍亂、黃熱病，小兒痲痹……，」船家給她一瓶防蚊藥膏，她把伸到河裡的腳板縮回來。

岸上罩著一層水氣，河面也浮著一層水光，竹筏邊嗡嗡繞著花腳的蚊子。「要死了！」她啪地一聲打下去。這裡是未開發的地方，單算瘧蚊就有五十多種。

「那邊到了緬甸境內，高山上終年都是瘴氣，」撐船的人說。河裡果然泛起濃霧，一眨眼山不見了。岸邊有猴子叫的聲音，剩下近處一片密林。她跟著指路的手望過去，「穿過原始林，上去有佤族，還有擺夷，還有傣。再往西邊是滇緬公路，翻過山接到中國。馬路啊，都叫鐵絲網圍住。一個崗一個哨，沒有通行證可去不得。雖然現在平靜些了。以前更不成，都是重裝備的毒品大王。」

她抬起頭，河岸邊有搖晃的蘆葦。密布著水道，坪河的支流匯聚到湄公河裡，到了中國境內就叫做瀾滄江。

船家問：「Mom，你一個人，要去做什麼？」

她說：「找人啊。」

「那是些奇奇怪怪的退伍軍人，拿著照片問同伴的生死，以為到現在還活著。」晃晃光腳丫，她看著四周的密林，藏了人們不知道的祕密。「越戰，打仗嘛，樹都枯了。後來才都種上罌粟。有，那時候有，水牢裡確實關過戰俘。」

Mom，你在找什麼？

聲音冒上來了。有人在耳朵邊問她。那次在北婆羅洲，熱心華僑帶她去旅遊。走在繩索的吊橋上，她不敢往下望。底下有什麼在呼喚？從深淵爬起來，叫得愈來愈大聲，接著又是細小的回音，蚊子叫一樣，好像在耳朵旁邊叫她。有人在問她問題？一陣子她才回過神。

「在這裡，每家都有一罈子蠱。什麼事都可能發生。」撐船的人吸了一口水菸袋，「山那邊還有食人部落。佤族人傳說，切掉的頭顱可以保護他們，必須獵到外來男人的頭顱。那些頭顱因為回家的路難找，總在附近遊蕩，可以替村莊趕惡靈，保佑下一季豐收。」

「頭切下來，趁新鮮。」新鮮的男人血有奇效，她跟著咂咂嘴巴。

聲音嗡嗡地，她曬多了太陽，又淋了一陣雨。背脊一陣陣冰涼。這裡有人會放蠱？「外面進來的人，頭割掉，還是熱的，切下來掛在竹竿上。」

防蚊藥膏的氣味飄在她四周。她不習慣這種味道，跟著呼吸嗆進肺裡。喉嚨突然好癢，她摀著嘴巴一陣咳嗽。

後來經過沙洲，她躺下來，半閉眼睛，看著一片雲也沒有的天空。

她告訴自己，現在一個人了，終於可以真正放輕鬆。

跟著保羅，她發現自己經常會緊張。知道你犯了什麼罪？她使個眼色，悄悄指給保羅看，牆壁上貼著告示：毒品判死刑，一槍斃命的罪行。

吸過一次，跟吸過許多次有什麼不同？關進去一個月，跟關在牢裡一輩子又有什麼不同。站在那裡，他們愈吵愈大聲。

她伸出手，感覺到船底下冰涼的水。河水在陽光下閃亮。吵架的聲音響在耳膜，又像是遠遠地從岸邊上傳來。

河水裡匯聚了很多東西。河畔的腐葉、死狗的屍體，垃圾堆裡閃著光：那是擺夷女人衣服的亮片，還有天上掉下來的琉璃，天珠一樣從天而降。廢物沉積在河裡，女人腰間的花布條、包孩子的方巾、小嬰兒的尿片，長長的藤蔓在河上漂，順著水流纏繞在一起。

採砂的馬達皮帶，嘎嘎地響。她聽著沙洲上的採石機器，有人在盜採砂石？她小時候，修傘的、補鍋的，還有公車票亭裡補絲襪的女人，針在圓盤上戳，一個圓圈一個圓圈，發出單調的聲音。

她坐在竹筏上，許多年前的日子回來了。小時候家裡的電風扇，半圈吱嘎一聲，才能夠繼續迴轉。

迷離的霧色照在水面上，水面愈來愈寬，離上船的地方愈來愈遠。她已經迷了路。

第一次，她那麼接近中國，卻又遠得看不見。

有一幅景象，她在夢裡見過：寬廣的大廣場，演唱會台下空空的，一個觀眾都沒有，一張票都沒有賣出去。人們都到哪裡去了？四周升起乾冰，舞台上瀰漫著煙霧，演唱會就要開始了，這裡是天安門大廣場。她擦擦眼淚，怎麼辦？又好像是蹲在泥地上等父親進門。靠著床板，她又餓又累，鼻涕流到了嘴唇上。

後來，她的船穿過一處灌木叢，馬達的聲音靜下來，船在湄河上漂著。她撥開蘆葦，掛紅旗的快艇往這邊開。她看見船頭站著寮國士兵，帽子上一顆醒目的紅星。手上有長柄步槍。她低下身子，船舷輕輕打水，千萬不要驚動了邊防的哨站。

這裡是戰區，罌粟的出產地。岸上閃閃的螢火蟲，暗夜裡一小撮一小撮鬼火。她聽人說過，那是骷髏頭發出的燐光。

她用右手捏左手的手臂，像她經常做的那樣，告訴自己不在做夢。醒醒，多久沒闔眼？她還撐在這裡。

只要捱過這個夜晚，明天早上，找到一個口岸，只要有公用電話，她會打電話給她以前的經紀人。一通撥接日本的長途電話，然後直飛東京。像往日一樣，西田先生會站在空港的旅客入境處等著接她。

「行前才決定打電話，不會怪我失禮？」她準備這麼說，日文忘了一些，在飛機上她一遍遍地演練。

「西田先生別來無恙。」一點也不像死裡逃生，她聽見自己嬌俏的聲音。

降落之前，像以前一樣，空服員總會體貼地提醒她：「飛機上乾燥，您需要補補妝？」

把座位往後調，身體往後靠，她打開化妝箱。降落前半個鐘頭，還來得及再上一次妝。

說不定，真的像以前一樣，一堆人會到機場接她。說不定比她預計的還快，趁她在旅途上，西田已經把合作過的那些人聚在一起。

錄完音帶你去築地，吃生魚片。耳朵裡好像聽到，西田的聲音仍然像沒有牽絆的單身漢，完全以她為主，工作起來可以沒日沒夜。

那年她幾歲？

好像花兒開在春風裡，啊春風裡。

神經在極度興奮的狀態，她想要直接進錄音室。感謝天，她的嗓音維持得還不差。他們是成功的隊伍，可以再一次創造奇蹟。為了瘦下去，她不介意去健身房。連著幾餐只吃蘋果，她應該會迅速恢復腰身。四十二歲，還有再一次的機會。

好多事可以做。她要重新開始。她努力回想接機的場面。她咧開嘴角笑，攝影機對準她特寫，該怎麼辦？曬了那麼多太陽，沒時間護髮，摸著自己乾枯的髮梢，有一台吹風機在身邊就好了。

坐在灌木叢裡，她彎下身子。一閃即逝的眼眸，幾隻猴子從密林裡露出棕毛腦袋。

再一次提醒自己：找到電話，第一個電話打給西田先生，「猜猜我在哪裡？」那年在啓德機場，她朝公用電話丟銅板，告訴接線生撥到東京。一大堆銅板掉下去，她就是要找到西田，與他說好，見面第一餐要吃什麼。

說不定，她從此開始轉運。如果她更走運，飛往日本的班機裡，碰到一個老實的男人。他們聊著天氣，運氣太好了，男人對她的過去居然一無所知。來得及，她不是挑剔的女人。如果有一個地方，讓他們倆從頭來過。找到那樣一個地方，沒有人知道她是誰，她就有機會獲得幸福也說不定。

4

證詞與證物

以她的年華，她的經濟力量，以及她所能取得的醫藥照顧，實在沒有理由就這樣倒下去。最好的醫院，最好的醫生，最好的藥，她都能得到，可是，在那種「病」之下，她竟沒有機會，連萬分之一的機會都沒有得到。

我們只能同哀齊嘆：斯人斯疾，胡天不仁？

／某報社論

恐非平生魂，路遠不可測。

／唐詩

她從來不知道自己還會開船，原來像開車一樣，放低油門，由著船身在水道裡亂竄。船舷撥開水草，她看著細浪排湧而來，在船翼上鑲著白邊。一旁的水草鼓漲起來又陷下去。

她注意河水中間的浮油，從浮油擴散的形狀以及顏色，她已經學會辨識危險。她知道多久以前有巡邏艇經過這條水道。浮油的顏色愈淡，表示巡邏艇走了一段時間；浮油的顏色愈深，渦漩的形狀很完整，表示巡邏艇就在附近，說不定就躲在附近的水草裡。

這裡的天，像她小時候家裡灰糊糊的泥巴牆。用手摳一摳，就會一塊一塊掉下來。

地圖上，這條河轉了一個大彎，匯接到她始終沒回去過的地方。在那裡，蒼茫的水面，漂浮著她盪氣迴腸的歌聲。

那是剛開放的時日，……「停唱陽關疊，重擎白玉盃。」無以名狀的空虛裡，填補上她最會唱的小調歌曲。據參考消息，老鄧也不免聽她的歌跟著哼兩句。

然後，她看到報紙。中共的機關報猛在批她。她唱的哥哥妹妹那一套，抓住的是人們對小資產階級的嚮往。她不懂，報上究竟在講些什麼？

帽子憑空壓下。「大毒草」、「精神污染」，成了資本主義的鴉片？

回想過去，她會沒來由地緊張。一霎間閃了神，船已經偏離航道。

後來船翻了，她掉進又黑又冷的漩渦裡。她掙扎，肌肉在痙攣。她告訴自己，不管水多深，把手臂想成魚鰭，就會重新生出力氣。

或許她想要爬回船上。一陣亂踢，她的腳趾碰到河底的石頭，石頭割破她腳趾，水裡裂出水藻一樣細長的血痕。

腿上冒血水。勉強找到椅子的方位。手放在駕駛舵上。她拉扯鋼索，還可不可以試著啓動油門？

她關上油門，船隨著水波上下漂動。她想台灣的報紙，人們大概都在找她，記者正在做各種離譜的推測。幾張舊時的沙龍照，在顯著的版面放了又放。

「收尾」，怎麼「收尾」？她以前一直在想，大明星台上絆倒了，怎麼樣沒事人一樣，彎下腰撿回鞋子，笑一笑走下台去。

她必須撐下去。嘴巴裡感覺到鹹味，出海口快到了，只要她再撐一陣，頭露在水面上，再幾個小時，經過的大輪船會來搭救她。

6 證詞與證物

她總是無視一切、漠不關心、不發一語。

／香港《東周刊》

我真的是在她過世時，才知道她大名鼎鼎。病患看起來安靜。老實說，談不上漂亮。當然，也許我看到的正是她最憔悴的時候。早知道她是大明星，我會請她簽名，而且一起照相留念。

／清邁市蒂普醫生

7 剩下一種可能

河岸上的景物一直在重複。她以為自己是向南，朝著出海口漂蕩。說不定自己正在向北。下一站是昆明。她驚覺到自己可能再度搞錯了方向。

往北直走，按道理，就會直直漂到西雙版納。

如果在那裡被人找到，她先要為自己設想出一種說法：怎麼樣脫險、為什麼會在一塊浮木上被人發現，劫財嗎？綁票嗎？有沒有損失錢財？還有更聳動的，有沒有讓男人得逞？她要趕緊編出一套可以被人接受的說法。

她想著人們正在河岸上接她，等她順流而下。「是她，真是她欸。」浮屍漂起來了，照相機紛紛舉高，準備好膠卷，記者要先搶水面上的鏡頭。

從十五、六歲起，她就與緋聞牽扯不清。關於驟死、關於愛滋，之前是懷孕，自殺，墮胎，……各種不堪的傳言，這次需要的大概是新奇的死法，譬如說，她濕淋淋地爬上岸，碰到食人部落，枯枝堆高起來等著烘她烤她。

需要給一種說詞，讓記者們可以大作文章。

天色愈來愈暗，她漸漸放鬆下來。雖然回想過去，她一向都不習慣應付這種事情。先前一本假護照，就因為處理不當，報章把她說成國際警網追捕的女人，說她像國際難民，在海關被踢來踢去。還有更荒謬的說法：說她是國防部派出的情報員，唱歌只是幌子，肩負蒐集情報的目的。

她想著人們愛怎麼說就怎麼說吧。反正記者饒不了她，一見面就是跑過來追趕她，圍成一圈想要堵死她，然後追問讓她尷尬的話題。上次回台灣，這個男人究竟是誰，普通朋友？終極保鏢？你結婚的可能對象？

把她逼到牆角，有一天必須不告而別。

她望向平靜的河面，無人島也好、原始部落也好、三不管地帶也好。她簡單的願望，不要被抓回去就好。

依照腦海中那張地圖，沿著寮國邊界下到越南。或許根本不用漂回頭，她正在逐步接近出海口。

植物的樣子有點不同，蘆葦灰茫茫地，石頭多起來了，偶爾有一隻水鳥。這樣就是靠近口岸的地理景觀？

她上過幾堂軍訓課。可惜當時被逼著休學，學期結束前，說不定上到「野外求生」

那一課。知道起火的方法，踩著淺灘走上岸，天黑前找一些枯枝，就可以把身上的衣服烤烤乾。

現在她需要的只是闔起眼，暖和地睡一覺。醒來，拍拍身上的乾衣服，伸個懶腰，把呼吸調得均勻。肺裡沒有風箱的嘶嘶聲，就可以痛快地吸口氣。說不定心裡一時透亮，也已經想出問題的答案：真的要回去嗎？真要撥那一通電話，讓人家知道她的下落？怎麼做，才符合她自己多年來的心願。

幾枚銅板的距離，可以走回頭，也可以與之前的人生徹底脫勾。

明天，等明天吧。河岸上醒來，將會像奇蹟一樣，她的氣喘痊癒了。如果能夠順暢地呼吸，就會重新生出力氣，那是她迫切需要的感覺。

第四章

光亮在哪裡？

「我和你共始終，信我莫疑。」她全心全意地唱，唱得心都空了。她為國盡忠，為職務盡瘁，犧牲寶貴的青春，還不夠嗎？讓她活著，還有機會活著。為什麼有人總是不肯放過她？

老哥

是死是活，亟需她下一步的動向。

搞死人的航程。脫了一層皮總算脫離蠻荒，人又來到曼谷：噴黑煙的公共汽車，灰塵瀰漫的陽光。女人扭擺著水蛇腰、馬路上細細一條的椰子樹。這城市跟我離開的時候一模樣。

清邁到曼谷，一次大戰以前，靠大象跟水運，要走一個月。現在，買張機票，就可以回來添購補給。

坐進報社那間陰涼的資料室。一大疊手稿放桌上，小朱答應幫我理出頭緒。她手撐著下巴，一頁一頁翻：「很多人、很多事，你都可以印證。」小朱為我打氣。「幾個地方寫到一個名字，平常你不看影劇版的？這是另一位大明星。不信，去問那個醫生。」據小朱說，醫生跟這些名女人很熟，一個兩個三個，都算他的乾妹妹。

幾通長途電話，找到醫生本人。

醫生說：「是啊，她跟我的乾妹妹是好朋友，兩個女人一起到坎城渡假。兩人好像還在海裡裸泳。」

掛下話筒，我告訴小朱，醫生特別提到，作為家庭朋友，婚禮前幾天就過去幫忙。記得沒錯，沒有送花。我轉述醫生的話：「那時候，誰的禮物林妹妹都不在意，只是一次一次下樓問，問一個人的花怎麼還沒有送到。」

小朱指著手記：你看這裡果然有。那天，沒寫完就收筆了。

知道小L一定會計較。說不出恭喜。如果去了，參加婚禮，小L大概會刻意地把捧花拋過來吧，「下次該你。」小L會大方地說。下次？沒有下一次了。即使再得到，好像也不是滋味。

就是看不淡這件事，唯有這件，看不開，沒辦法想像在卡片上簽名，寫一些祝福的話，沒辦法裝得那麼瀟灑，知道自己……

宴會、購物、喝下午茶、慈善晚會拼湊成的闊太太生活。息影的女星，令人羨慕的歸宿，就這樣了？才不希罕。送給我，我都不要。

小L說過：「姊，我聽到『省吃儉用』，就冷汗直流。」

睡在保羅旁邊，記得小L說那句話的神情。小L拍著胸口說，有個傢伙搞不清楚狀況，吃錯藥了，哀求我嫁給他，省吃儉用，一起打拚。「他講『省吃儉用』，四個字講得那麼自然，嚇死人。」小L氣喘喘地。前一刻，誤以為小L是被男人的癡心嚇到，這才聽清楚小L怕的其實是「省吃儉用」。

馬上再撥電話給醫生，確定我們的新發現。

這些名女人，眞的弄得懂她們嗎？慢下連珠炮的速度，醫生一字一句回答：「影藝圈的人生跟我們一般人不一樣，演一場戲，上一次台，生命已經重來了許多次。她們都採取一種很現實的生活態度。」

我想著醫生口裡的乾妹妹，影劇版上看過近照，穿著名牌標誌的運動衣供人取鏡。愈來愈豐腴的面頰，下巴中間那道著名的溝陷快要塡平了。正是醫生在電話裡講的：兩全其美，順便拯救一個品牌。

醫生的乾妹妹與我們大明星，兩個女人同年生的。名氣差不多大。境遇現在是天差地遠。媽的，什麼了不起？我們大明星去了沒人認得的地方，在那邊更屌，她可以做自己想做的事。

小朱是個好幫手，整理資料，一絲不放過。燈下工作了幾個晚上，她把散在不同章節的內容拼湊起來，手記上還有別人，不時會提到一位男明星，小朱敲敲桌面，有關這個特定人物的三個段落。

小朱幫我用顏色筆圈出來，看起來醒目：底下這部份，「功夫片上那個男人」，寫的就是男明星。

放下書，對著電視機，她搖晃保羅的肩膀說：看，你看，看功夫片上那個男人，我認識他，現在是國際巨星。

她看見在螢光幕上憨憨笑著的巨星，努力地滑跤，努力地跌了一個倒栽蔥。巨星那麼努力，急著討好別人。

她輕聲咕噥，中文說「同病相憐」，你知道意思？

她指著電視螢幕，快看，又是這個人。現在鋒頭健。每部電影都找來露臉。告訴過你沒有？我們倆出身很像，都是苦過的人。

她搖搖頭。當然，你不可能明白。你弄不懂我們這種出身的人。

你不知道我那種心境。我們小時候窮，日後總忘不了自己是從泥巴堆裡爬出來的，總想把周遭的人拉拔出來，拉一個算一個。你看螢光幕上那個大明星，鼻子那麼大，以你們外國影劇圈的標準，算是個諧星。危險又誇張的動作，摔得鼻青臉腫。努力做這件事，深怕別人不喜歡他。努力要讓每個人都滿意。以為人生的意義就是這樣。

我們本來可以湊一對，不怪他，後來我原諒了他。臉頰蹭著保羅的胸膛，她輕輕地說，沒辦法啊，各走各的，我又重新掉回到泥巴裡。

那個人總愛做大哥。

後來，那點幻覺很快就沒有了。她告訴自己，人生階段不一樣，他要的東西比自己多。幸好，總算沒有真的愛上他。

比起來，自己所要求的太簡單。

吊扇在頭上打轉，我們倆捧著外賣的炒粉。一堆報紙中間，用顏色筆，小朱幫我把這位男明星曾經在媒體上說過的話勾出來。

有些零散的句子，多少跟大明星有關：

「當面拒絕女人，拒絕邀我吃飯之類的，這樣做可以讓我那幫兄弟覺得我夠酷，愈是有名，愈是漂亮的女人，而我對她的態度愈是呼之即來、揮之即去。要酷啊，以為有膽量。」「比起愛女人，我更愛我自己，沒有一顆心可以同時服侍兩個主人。」

日後收集成一本自傳，保證很轟動。主要是這個男人夠坦率：「對女人，或者說對所有的女人——我從沒有眞心地好好地對待，我的戀愛經驗太少，又太在乎其他人的想法，急著要向他們——我的影迷，香港電影界，甚至全世界證明我自己很行。」沒有隱瞞、沒有閃躲。老哥，他有種說出來，這是我們男人的懺悔錄。

我想到醫生的話，電影圈走一遭，他們比一般人更有洞察力，媽的，更早看穿這世界上什麼是眞的、什麼是假的。

小朱教我的辦法，讓我再次燃起希望。資料湊在一起檢索，居然顯露出新的曙光。這裡暫告一個段落，老哥，上路的時刻又到了。有些線索還需要天涯追蹤。

訂好機票，從旅行社的窄門走出來。隔一條街，馬殺雞、泰國浴，簾幕後面都是女人，老哥，到處是躺著賣的女人。

小朱站在辦公室門口看我離開。那瞬間，或者我有錯覺，小朱摘下近視眼鏡，鏡片上一層水霧，眼眶裡紅通通的。我不敢再回頭。

大嫂責怪我怪得沒錯。這一次，算我辜負了人家。

老哥

接到這封信，我人在香港。

大酒店靠海的一排座位，我見了喬伊。她承認自己正在寫電影腳本，有關大明星的故事。

上次在基金會找她弟弟，丟給我一條重要的線索。他們家在請人寫傳記。起先，她弟弟以爲我去打聽消息：「聊幾句，我願意，透露多了，對不起，會和我們的寫作計畫衝突。」坐在茶几前面，當時她弟弟不很客氣。問我：「你到底要做什麼？」

看到喬伊，第一眼就知道錯得離譜。眼前這個嘰嘰呱呱的八婆，絕不會是她弟弟口裡的傳記作者。

既來之則安之，喬伊倒很坦率。侍者還沒有端來咖啡，人生已經交代得七七八八。丈夫當年是導演，拍了幾齣愛情片。這年頭沒人找啦。她自己在報上開了八卦專欄。

「腳本出來，當然歸我老公導，我們一對銀色夫妻，看能不能夠東山再起。」

影劇圈本來是非多，這種專欄作家，尤其口水多過茶。當然我也存著希望，喬伊佔著地利，可能吐出一些我不知道的事。

話匣子打開，從她自己爲什麼叫「喬伊」，Joy，英文的「快樂」，說到她一向人緣0

Ｋ，爲什麼明星們跟她吐露心跡。我胡亂應著，只在意她說跟大明星有關的事蹟。富都戲院、金河廣場，當年開採錫礦發了跡，愛國華僑啦，碰到來星馬駐唱的女星總要糾纏一陣，也不是死皮賴臉地糾纏，比起現在算是含蓄的，每次登台都包下幾排捧人場嘛。欸，你不要聽別人那些小道消息，沒有的事。女同志導演我最清楚，人家單戀她，藉機會接近而已，那是回到香港，赤柱的家裡。後來弄得很不歡。她一口氣說下去，問我要聽哪一段。

我單刀直入，說說下落吧。喬伊嘆道，怎麼死的？前因後果很簡單。後來那些年，圈子裡任誰都看得出，始終沒從婚變中平復。

喬伊靠著沙發說：這話要推到多年前，紅帖子都印好了。婚事告吹，對大明星是太大的打擊。

喬伊點了一根菸，挑起細細的眉毛說：這裡面高潮迭起，正是我在寫的腳本。如果片商沒意見，電影名字就叫「豪門戀」。

她說，片尾部份已經很ＯＫ，還沒有寫分場。精采的對白句句珠璣。

安排的場景中，女主角吼著說：「你是大男人，婚事自己作主，爲什麼不反抗？」

接下去喬伊準備讓女主角舉起手，打了小開一巴掌。

男主角受英國教育，頗有紳士風。打開車門，自己下車走路，仍然請女主角把敞篷跑車先開回家。

一輪大月亮，女主角駕著跑車，圍巾在脖子上飛。喬伊說，大明星的歌剛好當作配樂出來：

「過去的過去的不堪回首，忘掉吧忘掉吧甜蜜時候，啊，負心的人，負心的人……」

衝著她的臉，我噴口菸。老哥，對這個喬伊，我暫且隱忍不發，失去基本的耐性之前，先把她知道的訊息倒出來。

反正我語帶譏諷，她也毫無所覺，只會愈講愈帶勁。她說最精采的是相見那一幕，當場從牛皮紙袋拿出寫好的部分唸給我聽。

老哥，你聽聽就好了。在喬伊的劇本裡，女主角名叫小君。小君下舞台總覺得餓，那天什麼都還沒來得及吃，跟著一位捧場的太太，匆匆趕到僑領家的私人派對。

場次：25

場景：大客廳（燈火通明），吉隆坡近郊的豪宅

人物：小君、婦人、G家少東

時間：夜晚

（小君伸出叉子，勾住奶油蛋糕上的紅櫻桃。）

（露肩晚禮服的婦人挨了過來，狠狠的眼光，福建腔的國語。）

婦人：「主人家的親戚？」

（小君搖搖頭，把蛋糕塞進嘴裡，抿出一個禮貌的笑容。）

婦人（想起來的神情）：「李醫生在牛津唸書的女兒？」

（小君尷尬狀。）

少東：「阿姨，把人家嚇到臉都白了。」

（女主角臉部的大特寫。眼神朦朧，畫面停格。那是女主角第一次見到那人，東南亞最有身價的小開。）

（鏡頭拉遠，男主角幫小君放下手裡的托盤，牽起她的手。）

少東：「第一次來，我帶你上樓參觀。」

（燈光漸暗，淡出成黑。）

場次：26

場景：大客廳轉角（旋轉樓梯與水晶吊燈）

人物：小君、G家少東

時間：夜晚

（戴長手套的胳臂被男主角攙著，小君一步步上樓。）

（燈光柔和，加打一層玫瑰光，音樂響起，女主角好像走在雲霧裡。）

（這個場景反覆使用：後來幾場，女主角每次想起男主角，flash-back，用同樣的音樂，迴旋樓梯的背景。）

喬伊問我的感想。我學她說話，你的視覺感ＯＫ，深度一點也不ＯＫ。用你這種劇本，難怪你老公會失業。

喬伊繼續聒噪不休。告訴我不要急，下面還會交代，後來這個小君才弄清楚，其實那座大房子不是少東家，只是與少東家相熟的朋友家。少東是好心，見義勇爲，不忍心小君被盤查身世。

我追著喬伊回到主題。什麼是當年婚事不成的原因。

喬伊眨眨假睫毛，可惜啊，只差幾天就萬事ＯＫ。那個大宅門是何等人家，有人看著眼紅，去到老太太跟前告御狀。一告就垮。兩個年輕人沒一點機會。她啊，喬伊嘖嘖嘴巴，就是被早年一段經歷害慘了。

彈一下菸灰，喬伊繼續喟嘆：影藝圈嘛，捕風捉影的謠言很多嘍。傳聞中還有個菲律賓鼓手。賣唱的時代，愈紅愈招忌，女歌星身邊總跟著一堆不知眞假的耳語。你看，要不要加進去？會賣座？我準備把菲律賓鼓手那段編進去，當成大明星的初戀。

我瞪喬伊一眼。這個八婆，不擔心大明星生死成謎，媽的，唯一在乎自己劇本有沒有票房。

分手還算漂亮。喬伊說，富豪人家幫她找到下台階。我們男方門風保守，迎娶演藝界的女人，條件是必須斬斷歌唱生涯。至於女方的理由，則是不肯爲婚姻放棄事業。大明星吃了悶虧，勉強保住面子。

東南亞首富，門檻高嘛。我隨口應著。

比起來，算是有格調的嘍。喬伊回過頭替大明星講話。這個圈子，我看得多。到適婚年齡，女人總害怕人生是空的。除了這個脫身的機會，再沒有別的好事情。

「賈桂琳下嫁歐納西斯，你想想，一樣的道理。」喬伊說。

這間濱海咖啡廳人聲嘈雜，好吵，或者廣東話本來就吵。我想著錢多到某個程度是有好處，可以買下一座孤島，讓大明星過著不被打攪的日子。

喬伊又拿出一疊打字稿。原來劇本之外，一魚多吃，喬伊把大綱拉長，同時是電影小說。喬伊認眞問我認識哪家出版社，專做羅曼史的出版社更好。

我隨便翻翻。圍繞著剛剛那段不成的婚事，媽的，眞服了她，梁祝式的鴛鴦蝴蝶。

少東陪小君遊歷麻六甲，有一條老街，保存極好的華人住宅。站在二樓，推開一扇窗，魚鱗似的屋瓦，中間天井是唯一的光源。

小君說：「覺得自己好想逃，沒牽掛、沒沾連。」

少東聽到了什麼，眼睛裡有一線光采。用很慢的語氣說話，說他從小被送往倫敦的寄宿學校讀書，一年到頭都在下雨，要不就落雪，校舍是一間古老的修道院。滲出濕氣的石頭牆，吊在床欄上的襪子永遠不乾。心裡好想回家，回到一年到頭炎熱的家鄉。

「交下來的家業好沉重。回來沒多久，我又想走了。」男人對著天井說。家裡人對他有不切實際的期待，希望他接掌事業，找個門當戶對的女人聯姻。他不知道自己應該找哪種對象，希望是個古典氣質的女性，跟他交往過的西方女人很不一樣。西方女人她們太直接，約會過幾個，他嚇怕了。他理想的女人，溫婉又沉靜，草席子上，傭僕打著扇子，像一尊清涼無汗的白玉臥佛，那是他回到東方想要找到的東西。

小君傍著他，古龍水的清香，帶著一種好家庭出身男人特有的潔淨。確實跟她交往過的男人大不相同。靈感來了，她順著他的話找話講：「我也是這樣的心情，這些年常在外面。即使回到家鄉，好像並不屬於那裡。」

看著女人飽滿的額，平整的一張臉，果然跟他交往過的西方美女很不一樣，「你在哪裡？我們倆怎麼會遇得到？在明朝還是清朝？」少東順勢問。

隨著他的眼睛，她的眼光望向窗外。她柔聲說：「只有你我，我們兩個人，不屬於這世界的任何地方。」

問彩雲，何處飛，願乘風永追隨。

忍不住了。當時我跟喬伊說，你以爲還在拍三廳電影，時代不同了。要賣座不是？調子太慢啦。聽我的，我讓你劇情急轉直下：

說時遲那時快，衝出來一輛貨卡車，引擎旁邊高豎一條鐵管，燒煤油，煙囪噴黑煙那種。上面載滿塑膠小燈籠，歌星晚上登台用的。這兩個打嘴炮的站在窗邊，眼看要被黑煙噴到，拉著男主角頂級麻紗的南洋衫，你的女主角往後退，步子沒站穩。正中下懷，跌進男主角懷抱裡。

幾叢蘆葦，天井中渺無人蹤。喬伊你聽著，告訴你那導演老公，我不會拍電影，但我知道哪個是賣點，這裡正適合下一場床戲。

大家靜一靜，前面站著的坐下來，插片時間到。我小時候看得多。有一次，跟著我爸走進去，迷濛的一點光，觀眾做手勢叫我趕緊坐下。我猛一回頭，銀幕上大特寫，媽的眞倒楣，自己正夾在女人的那條屄縫裡。嘿，告訴你喬伊，床戲在天井上拍，獨具《聊齋》的美感，又有拉野屎的快感。攝影鏡頭再帶到街角賣涼粉的小販，顧客蹲在板凳上，涼啊涼，稀哩呼嚕地吃冰。多有現實感！

「對了，道具用的那種卡車，我們台灣叫烏賊車。」我告訴喬伊。

喬伊瞅我一眼，你這人，殺風景。

跟喬伊順口胡謅，她脾氣挺和順，沒像剛見面那樣惹人嫌。問題是，我任務在身，哪來的美國時間跟她窮蘑菇？後來回到旅館，一刻也不能懶，翻出手稿中有關「G」的片段。

手稿上在幾個地方反覆提過：得不到的東西，得不到的東西會發出一種，一種很奇特的亮光。

媽的，讓人洩氣，指的就是這個有錢小開？

難道像喬伊說的，謎底其實很簡單。這場變故讓大明星萬念俱灰，不想活了。接下去的作爲只是慢性自殺。之前大明星倒是希望重新來過，迷迷糊糊她就有這種憬悟：嫁入豪門，在人海中消失，才是幸福的起點。

喬伊可能是對的。我繼續在燈下拼圖：原來就是他在等她，一個沿河的口岸，客棧的牆角趴著壁虎，彈簧墊子滿是凹洞。巧妙的安排，從一條河上消失，他們逃走了。豪門少爺與她一樣，等了許多年，等待的始終是這一天。

日後人們繼續聽聞小開的名字，那只是替身。好質料的西裝，挺直的身架，站在城堡一樣的門廊前送客。

跟她一樣，他早已經不在那裡。

老哥

全東南亞最受人矚目的富家少爺，人在哪裡？

找不到那個小開。銀座後街，鐵道後面，十層樓上的俱樂部，穿過一堆托盤子的兔女郎，找到會講漢語的媽媽桑。跳上枝頭做鳳凰的女侍哪裡去了？媽媽桑從吧檯的高腳椅歪下來，胸脯裸露在肚兜外面，肩膀靠過來，晃晃手裡的酒杯。「有問有答，今天免費奉送。」

「Tere——？什麼？」

香水沖昏了我頭腦。媽的，粉味的女人，望著胸前兩朵白花花的肉，那種感覺又回來了。我有點招架不住。只看見媽媽桑詭祕地笑：「找人？你太寂寞了。」

角落的位子，我在暗影裡定下神揣想：大明星聽說小開後來娶了銀座女侍，那是種複雜的心情。富家子終於——這次終於——選擇了愛情。大明星聽到，覺得安慰？又有一絲遺憾？心裡是怎麼樣的滋味？媽的，我替她叫屈，每次她都是差一點點。

俱樂部裡一杯酒，口袋空了大半。我拍拍屁股下樓，旁邊剛好是一家居酒屋。吧檯坐了三位商社職員，我的日文勉強對付。民意測驗一下：每個人都聽過她名字，還把大明星好有一比。

聽聽他們怎麼說的：「如果她在日本，就是我們的國民歌手：美空雲雀。」

眞巧，我記得看過資料，大明星在訪問裡跟人說過，她從來的偶像都是美空雲雀。

應這幾位顧客要求，點唱機一遍遍放送那首《蜿蜒的河川》。店裡每個人都會跟著哼。三位職員興頭起來，爭相說自己最欣賞美空歌唱生涯的哪一段。從戴頂禮帽穿著西裝的小童星，到面容豐潤的成熟女人，後來是劇力萬鈞的母儀天下。看起來，日本人有耐心，願意等偶像長大，等偶像成熟，甚至願意與美空一起老。老了，依然受人們喜愛。

我們大明星呢？媽的，哪裡有那樣的運氣。

「美空死了，我們千萬人排隊相送。她的葬禮，在台灣應該有差不多的盛況。」

媽的，她沒死，她不能夠死。我大著舌頭說，你們不懂得，因爲啊，我，我，我不准她死。

老哥

有心栽花花不發，找到的這個小日本不肯合作。一遍遍強調，自己對大明星後來的生活一無所知。

我故意露點口風。我說，其實沒什麼，寫到經紀人的地方不算多，只有這麼輕描淡寫幾段：

在赤柱海邊，喝多了酒。那是唯一的一次，肩並著肩，他們好像一對情侶。

想到在天安門前開大型演唱會的宏願，不能夠實現。大概這輩子都沒機會實現。她望著天上的南十字星，沮喪極了。

男人搓動兩手，不知道怎麼安慰她。情急之下，男人半晌沒聲音，突然蹦出來一句：「嫁給我好了，你的情形我都了解。」

我說這很平常，觸景生情，她只會當你是隨口說說。何況這樣安慰她是應該的。即使眞有什麼，那屬於人之常情。好萊塢明星不也經常嫁給經紀人。只有經紀人，可以在身邊適時地說出：「你的情形我都了解。」

更重要的是，你們兩人的成功失敗綁在一起。

我繞著圈子一再問，小日本確定我沒惡意，才開始解除戒心。這種悶騷型的人，只要肯開口我就有收穫。小日本告訴我，正在積極安排天安門前的大型演唱會。多不湊巧，剛好碰到六四。身為經紀人，當時很洩氣，沒機會創造兩人事業的最高峰。

我說，大家本來就知道的事。口袋裡掏出小朱幫我準備的剪報，你看，別緊張，你有說等於沒有說。報上寫得很清楚，這是她自己說的：

「天安門事件粉碎我的夢想，我的夢已經完全幻滅。」

我又給他看另一份文件，影印下來的香港《明報雜誌》：

「這個計畫因天安門事件而取消。海峽兩岸持續對立四十年以來，具有歷史意義的訪問之旅，因此告吹。超人氣明星也在幾個場合公開表達失望。她的失望已超過超級巨星個人的悲憤，傷害的是兩岸人民交流的熱望。」

晚上在壽司吧，幾杯生啤酒下肚，小日本開始吐露眞心話。他說大明星愛吃，所以也帶大明星來這裡坐。好些次，大明星都在訴苦。那時候，常在猶豫吧，唱下去對嗎？爲的都是別人，愈唱下去，離自己的幸福愈遠。

太累了，常吵著要休息一段時間。「糟糕，歌詞都忘光了。怎麼唱？」那是大明星愛用的藉口。頒獎的場合，「非去不可嗎？可不可以不去？」一個勁討價還價，像小孩子在耍賴。

你們漢字說「家國」，家跟國，家國家國，連在一起，她停不下來。究竟唱到哪一年才算完？小日本嘆氣。

啤酒喝到肚子脹，後來面前又斟上冰鎮的清酒。小日本拿筷子敲酒杯，愈醉，講話愈直截：對我們政府的很多事，大明星受到的種種限制、以及接到的特殊使命，包括當年那本假護照，帶給大明星困擾之類的鳥事，他處處都有意見。老哥，關於這一點，株連甚廣，信裡不方便轉述，我再打電話跟你詳細報告。提到後來葬禮由政府一手包辦，小日本用哭的聲音：「這樣的人生也眞夠諷刺。」

分手前，小日本喝掛了。腦袋枕著我肩膀說，你走錯了方向。不是藥，不在清邁那個地點，也無關那個小老外。壓力，你們對她有需求，你們壓迫她，經紀人用筷子指著我，才是她非死不可的主要原因。

老哥

這一路吃了多少苦，媽的，小日本敢說我弄錯了方向？

小日本幫大明星跟包，前後張羅，媽的，他以為自己的眼光有獨到之處。他說致死的原因是壓力，與從小到大承受的壓力很有關係。媽的，小日本到底懂不懂？我們這一輩，誰不是在同一個壓力鍋下長大。

報紙上黑壓壓的一塊，大清早槍決的名單。總有人被警總抓走。有人無緣無故失蹤，媽的，穿開襠褲的娃子都聞得出空氣中的血腥味道。那年，一萬四千名匪俘，用自己的鮮血，寫成「反共抗俄」四個字，血書向李承晚總統請願，多餘的血塗在自己的名字下面。想起來，老哥，那也是我們男人大展身手的年代。沒有愛滋病的威脅，交換血就是交換誓約。

小日本指著我，簡直像是在指控，就你一個人臥底？你們政府做什麼的，現在才來探死因？以大明星的敏感身分，只派你一個人查案子？不至於吧。他冷笑。

電話裡剛才跟你口頭報告過，老哥，小日本酒後吐眞言，對我是某種警告。媽的，我們都單線連絡慣了，但老哥你確實管用？你弄得清局裡的動向，目前棋盤上是單兵作業，只有我一個人在追查這件事？

有些事，外人看得可能更準確。

P.S.明知道喬伊的東西不盡可信，現在被小日本講得心虛，媽的，自反而縮，我再一次翻開那女人留下來的劇本大綱。

壓力，小日本挑明了那是死因。小日本說「家國」。我們這輩人，家不家國不國，弄得大男人縮頭縮腦，搞到後來都縮陽了。媽的，還家什麼國？

打屁到此為止。現在我手頭的資料五花八門，隨時抖個包袱給你看，看看我們喬伊怎麼處理相關的壓力。

場次：16

場景：小旅館內景

人物：母親、小君

時間：黃昏

（前一場劇情：夜總會裡，他們同過台，排的是新年檔期。那時候小君剛唱出名氣。）

（母親繞著旅館房間走圈子。）

母親：「一家人沒指望，指望就是你這孩子。要是出了事，先別管你自己在這個圈子怎麼混，還要想著你自家人。兩個哥哥都關餉，出任何差錯，你哥哥跟上面好交代？」

（母親望著小君，小君站住不動。）

母親：「別瞞我。不會是什麼好東西。男人家，頭上捲得跟狗毛一樣，鼓點子並不怎麼樣。」

小君（賭氣狀）：「媽，老實的人我們碰不到。」

場次：17

場景：小旅館外的巷道

人物：母親、小君、樂團鼓手

時間：暮色

（母親追出來，小君正跨上機車後座。回頭拋下話。）

小君：「沒做什麼啊，去兜風。」

（特寫鏡頭，小君的手緊緊摟住他的腰，臉頰在男人背後摩搓。）

（拗得到錢，加一段飆車特效。）

場次：18
場景：海邊沙灘上
人物：小君、鼓手
時間：夜晚

（機車速度慢下，小君遲遲不肯鬆開環在男人腰上的手。）
鼓手：「快解散了，這是最後一檔。組起新樂團就去台灣找你。」
小君：「回台灣不成。他們不會准我們在一起。」
鼓手：「說清楚，誰不准？」
小君：「你不知道，我簽了字。只要接到命令，在任何情況下，我都得替他們做事。
上次為了出國，我非簽不可。」
（小君心橫起來的表情。）
小君（下決心）：「帶我走，走到他們找不到我們的地方。」
（停下機車馬達。兩人靜靜地坐在機車上。）
（特大一輪明月被黑雲遮蓋。）

場次：19

場景：小旅館門外，門內有人影晃動

人物：小君、鼓手

時間：夜晚

小君：「快，你趕快走。別讓我媽給攔住。」

（小君跳下車。揮手飛吻。）

小君（望著飛馳在夜色中的背影，自言自語）：「有件事，下次一定告訴你。」

劇本翻了一遍，愈看心裡愈毛躁。我在浪費時間，喬伊寫的只是羅曼史，裡面不會有我想找的答案。

我把手稿平鋪在桌上。她沒寫完的日記、還有之前我疏忽掉的幾則隨筆，擺在面前。

老哥，雖然我不信邪，裝訂在一起的本子握在手裡，媽的，就是心裡踏實。老哥，順便告訴你一聲，我愈來愈不喜歡別人誤會她！

手稿才是眞的，摻著不少她失蹤後的心情記錄，因此人沒有死，她活著，我幾乎可以

確定。摸著那皮面，我抽一口菸，謝天謝地，只要人還在，哪個雞歪敢亂造她的謠言？躲在暗影裡的傢伙都給我出來。

我抖抖菸灰，床頭的燈光很奇幻。影子一幢幢，白床單上好像側躺著個女人？病懨懨的，呼吸很困難。老哥，不瞞你，這麼一折騰，像作法一樣靈，跟她在一起的感覺又回來了。

好討厭上妝，好討厭進錄音間跟管音效的人溝通。

受夠了影視圈。

不喜歡做的事情可以列出一長條。煩死了，要跟剛認識的張三李四一桌吃飯。恨死坐軍機，恨死接電話，煩人透頂，還要跟總政戰部的人商量那種勞軍的行程。

比起後來遇見的人，她寧可想的是更早以前。當年信箱裡的信，一封封都是給她的情書。凡是寫個奇怪的「內詳」，都被母親撕個粉碎。後來在台上唱情歌，底下黑糊糊一片，她的眼光沒處放，沒有一個地方可以張望。角落裡沒有等她的人。

那時候走出校門，看見熟悉的身影。她趕緊低下頭，望著自己的白布鞋，心裡甜絲絲的。

睡在床上，想起戴船形帽的男生。帽子在手裡摺了又摺，像在摺一隻紙鶴。身子斜靠在腳踏車上，等她從巷口走出來。看到她，飛身騎上了腳踏車，帽子回到頭頂。車子騎得好慢，陪她走一段沒人陪的路。

黑黝黝的一張臉，記得的不多。再見面認得麼？她想不出來。

走埠唱歌的時候，旅館裡一張床，一個茶几，一座梳妝檯，她坐在床上看電視。隔壁房間的兩個身體正好交纏在一起？肉貼著肉？門板那一邊，傳過來各種奇怪的聲音。有幾次，只好用棉花塞起耳朵，喝多了酒的醉漢拍她的門，一聲比一聲更大聲。

她睜著眼睛到天明。怎麼睡，她睡不回去了。

後來大牌起來，旅館愈住愈高級。比起走埠的歲月，更不喜歡那種幽深的渡假飯店。沿走廊走好久的路，沿路還有嘩啦啦的水聲。打開鑰匙，進自己房間。旁邊悄無人蹤。

寧可住那種出房間就是中庭的旅館。倚著欄杆，從高樓層往下望，最底下一層總坐了客人。收杯盤的車子晃蕩著，隨時都有講話的聲音傳上來。

巴黎的公寓裡，她跟著錄影帶做柔軟體操，跪在地下擦角落的灰塵，她看雜誌、開電視、吃冰箱的東西。乾淨的咖啡杯從櫥櫃搬出來，放上洗潔精在水槽裡又沖又刷。什麼事情都做過一遍，仍然不覺得累，睡意就是不來，她洩氣地回到臥室。

她躺在床上想，每天要把自己弄到睏，多不容易的一件工作。

跟西田反而能夠說實話。對著西田說，怕死寂寞了。

最喜歡吃東西的光景，一個人可以專心地動作。先是嘴巴在動，感覺唾液流進咽喉，換成脖子上方的肌肉在動，連續的動作，從喉嚨裏往下嚥。什麼都不想，要的只是這個。

現在唱膩了，她聽見自己的聲音很淒涼，媽，我想過平凡人的生活，你看，還行嗎？

突然又好笑起來，幹嘛，在做什麼，求你們的許可？

對著水龍頭清洗牙缸，把牙膏擠在牙刷上，低下頭漱口，告訴自己又是新的一天。算了。總是回來作客，忍下來，反正過幾天就走。她繼續手裡的動作，用牙線把牙齒踢得乾乾淨淨，規律的動作讓她平靜下來。

坐在客廳，母親的聲音傳出來。說要侄子把床褥讓出來。用意很明顯，說給她聽的，要她跟保羅分開住，看起來比較正常，一人一個房間。

她嚥不下這口氣，恨不得立刻就回嘴，好呀，真好呀，別跟我提「正常」這兩個字，提起來可就傷感情。為什麼我，我不能夠正常讀書？像別家女孩正常地長大？唉，算了，現在你們有，你們有家庭，有孩子。你們什麼都有，回過頭來嫌我的生活不正常。

那一年，她聽見腳踏車在家門口煞住，她知道怎麼分辨，那個男生在她家門口總會急停車，弄得煞車吱嘎響。她不能夠出去張望。她必須全心放在練歌上。「一見桃花就想你，就想你，」她把「想」這個音好快滑下來，「妹似桃花吱呀——嬌滴滴。」

氣母親的正是這樣，總是說些不關痛癢的話。

那時候解除婚約，沒有人知道原因。母親從來不知道真正的原因。

跟母親鬧氣是一回事，只要看著弟弟那副憨厚模樣，她的心又軟下來。剛才脾氣確實發得沒來由。對著弟弟無辜的表情，她含糊地說：我這人餓不得。嘴裡有東西，嗨，就好受了。整天最愉快的時候就是吃。

看著手上的紅印子，她一邊把雞骨頭嚼得吱吱響。

剛才，她手腕上還掛著新買的玉鐲。為的就是這隻鐲子，硬脫下來，她痛得流眼淚。「媽，給弟媳的見面禮，你總嫌不夠，面子不能少。這，——不少了吧？」她大聲說。

噹地一聲，沾著肥皂沫的鐲子滑進水盆裡。

餐廳是四川的麻辣。鮮綠色的餐巾布，她拿來揩汗。

冷氣其實很充足，出風口呼呼地吹。男人舀一瓢羹火鍋湯，她斜眼睇男人的額頭，法國人不習慣吃這種辣，一粒一粒，太陽穴冒出細粒的汗珠。

「喝冰水？」握住結了一層霜的杯子，遞過去。

這時候，表現得格外親熱。「看他筷子用得多麼好。」故意讓別人知道，她的眼光繞著情人打轉。

「回來台北，當他是跟班就成了。記者眼睛尖，隨便寫寫又一大篇，很難聽。」母親慢騰騰地開口。

一口氣堵上來，堵到她胸口。她小聲說，怕，怕什麼？抬起頭看看我，媽你看，我現在老成這樣，來點花邊新聞，算是抬舉我。

保羅的筷子掉在地上，打斷她的話。

老哥

住在美斯樂的瘋女人，加上哈娜賣給我的手稿，本來按圖索驥，大體上拼出她一生的故事。

現在又弄出一缸子雜音。還有喬伊、還有經紀人，日本鬼子也來湊熱鬧。要不是我把持得住，媽的，連辦案方向都給他們攪混了。

老哥，記得不？小時候有種騙錢的小攤，擺在太陽底下。叫孩子蹲大盆旁邊，排隊等著撈金魚。老哥你上過當沒有？白棉紙做的網子，水裡涮兩涮也就破了。總不相信運氣這背，壓歲錢都換成了棉紙網。每次差一點，只差一點，快碰到魚身子啦，結果一條魚沒網到，網子已經裂了個大洞。

網子才伸進水，媽的，盆裡的波紋又亂了。

一堆亂碼中間，其中一個重要因素是錢。這一點，大概所有人都不會有意見。錢是小日本說的壓力之源，所以，關鍵是始終賺不夠的錢？

老哥，我們也見得夠多了。爲口袋裡短少的幾文，男人追著女人在打。脫下軍服外套，男人扯女人頭髮，揮舞著皮帶從巷子頭追到巷子尾。

對門方叔叔餵了一張好牌，繼母眼看胡定了，等著連莊呢。就那麼巧，一張牌剛好掉到桌子底。我趴下去幫她撿。繼母的腳可沒閒著，搽上紅寇丹的趾頭在方叔叔腳背搓摩。

軍服掩藏著的污垢，指甲縫裡洗也洗不乾淨的黴菌。

一個下午，大明星站在吧檯前面借電話。隔著幾張高腳凳，我注意她的嘴唇在動。她唧唧咕咕地說，媽，你聽我的，全數賠給人家。錢，我們存夠了。

或者關鍵是人？她一心想嫁個像樣的人才？

老哥，從歌詞裡找，是有那個意思。媽的，她一遍遍從肺腑裡唱：「沒錢小夥她不嫁，有錢老頭她不愛。」

眞是那個富家子？八卦作者常有奇特的直覺。像喬伊說的：婚變就是結束，她人生從此畫上了句點。

所以，不是光亮，反而是被擋住的光亮。小開那件事太傷，餘留下的陰影遮蓋了所有的光亮。

閉上眼，我又看見她站在清邁夜市的入口，戴著長手套，揮舞手裡的絲巾。嘴裡哼著：「十八姑娘一朵花，每個男人都想她，——啊都——想她——」。圈子內人緣向來數她最好，出錢捧場的是大爺，一個大爺都不敢得罪。她向每一個路過的人哈腰問候。

老哥，不瞞你，那時候，我正在她後面緊跟著。大熱天，她戴手套，大概不喜歡濕答答的感覺。我可以瞭解，我這種見過大陣仗的，在愛滋病的地方，沾上黏呼呼的東西仍然心裡發毛。

盥洗室每天換上幾瓶新鮮的礦泉水。水龍頭的自來水不可以生飲，連漱口都不可以，這裡到處是病毒，到處是妓女。

旅館房間裡一個做擺飾用的柚木箱。上面放著菸具。一管菸槍與一盞小燈，白銀的複製品。標著價錢，客人喜歡可以帶回家。

隔著發黯的路燈遠遠看她。勉強讀出她的唇語，我聽見她抬頭告訴保羅，旅館大廳外面站著妓女，瞞不過我，一眼就可以分辨出來，哪個是賣的。她撇撇嘴巴，身上的騷味，多少香料也掩藏不住。

我跟在她後面繼續走。她們瞪著她看，不懷好意的眼光，恨不得欺身過來牽保羅的手臂。我知道那些女人搞錯了，就因爲保羅是白種人，所以把她當成搶生意的同行，只是早一步捷足先登。

上次在清邁，我趴在地上找資料。小朱有耐性，一頁頁註記那本手稿。後來，挑出裡面一句話，小朱幫我抄在裝訂本的封面上：

虛構諸般的可能性，才能畫出她的心靈水紋圖。

當時只覺得唸起來彆扭，像個繞口令。對著不停在晃悠的眞相，老哥，虛構媽的心靈的水紋，媽的，不甚了了，什麼叫做諸般的可能性？我記起小時候那個撈魚的大盆，繞口令裡說的，難道從我手指縫，漏掉了最關鍵的一條線索。

在後面跟著，眼看就要追上了。媽的，手氣背，眼巴巴趕上去，還是讓她走出了我的視線。

媽的，老哥，她哪裡去了？

老哥

長途電話上說，哥們一場，你好心閃個警示燈。局裡正調閱當年的卷宗，下一步，就要盤查到我身上來了。

你說你會替我打聽，只是不明白整個狀況。還說大概是我自己不小心，來往文件露出馬腳。老哥，眞人面前不講假的，我當然知道箇中的道理，替局裡辦事，最後當成嫌犯來處理，我們這一行的宿命。

我先前提過，局裡內鬥的習氣最要不得，媽的，打擊士氣，莫此爲甚。

老哥，你說現在事件大條，攔也攔不住。情況繼續發展，可能要去我老家蒐證。會搜出什麼？難道臥室裡還留著陳年的血跡？床底下一包一包，眞能夠找出幾張舊唱片。

祕密就這些。你們眞想聽？哪個人家的牆角邊沒有灰塵？

那時候我還是小孩，爸從營部回家，拍拍我的頭。「好小子。別孬種。」躺椅上睡下。我以爲爸的去處瞞不了誰，我在後面跟著。

那一陣，爸跟繼母鬧意見，喝多了酒，橫躺在地下。我親生娘早都料準了，學她生前的口氣，死不瞑目喲，你爸膽敢讓別的女人睡我的床！

爸破嗓門，醉了，他會哼新一軍的軍歌。「效命疆場，才算好兒郎。」用筷子蘸著杯裡的酒，伊洛瓦底江，野人山，桌上畫出一些山川地形。這裡有一排人，那裡架著一尊炮，我們將軍以寡敵眾，沒打過一場敗仗。

有一天趁我沒放學，爸走了。聽人家說，他去了敵後沒有回來。離奇的事情在後頭：那天我回家，繼母很鎮靜，警告我小孩有耳無口，不准去瞎說。

眷糧依舊，還發了幾千塊錢的撫卹。爸的同事幫忙，算是因公殉職。後來，我爸常聽的唱片都用報紙包起來，堆在床底下。

接下去我的經歷，老哥你多少拼湊得出來。漸漸大一點，試著把那個謎團拋在腦後。沒有人提起，沒有人追查，我算是烈士遺族。考學校加分，出紕漏時候多一把保護傘，比別人佔了不少便宜。

只有心戰喊話的晚上，我坐在碉堡裡睜開眼，怎麼辦？揭穿了怎麼辦？擔心的是我爸的聲音突然出現，應該怎麼樣反應。

洗手一樣，不願意多想的事，都在水龍頭下沖洗乾淨。

大明星在日本榮登金唱片。全靠實力取勝。她終於克服各種困難，包括語言的障礙。那時候接受訪問。她謙虛地說只是一個里程碑，距離自己心裡想要的目標，還差一點點。

她誠懇、她純樸、她勤儉好學、她古道熱腸，平常做人零缺點，她的形象完美無破綻。她積極參加各種公益活動，只要有勞軍的場合，無論多偏僻的離島，一通電話，她義不容辭，必定排得出檔期。

那時候大明星的心事，媽的，我自以爲，普天之下只有我才能夠理解：旅館抽屜裡，爲什麼她總要放上許多雙長手套。

後來，我用長鏡頭跟她。調整距離，鏡頭釣住她的一舉一動。我知道她床上的姿勢，總是側身睡，喜歡把手裹在白被單裡，活像戴上了手套。把手藏在乾淨的床單裡，才可以安心睡下。

都是傳言，只是歌迷們的耳語。何況她做了許多好事。永遠的黃埔，永遠的情人，那些才是眞的。登在報紙上的都是好事。人們將來會記得，一籮筐値得傳頌的美德。

手稿裡有幾頁，寫了再塗掉，一遍又一遍地寫，簡直不放棄地寫著：沒實現的人生目標，像天上的星星，靜靜地閃爍光芒。

望著天花板上的防火設備，八爪魚形狀的小小噴水口，長鏡頭裡，我對準焦距，等著她說下去。她咬咬嘴唇，要說不說，想說又停住了。有些事沒告訴保羅，這些事還是任誰都不要告訴。關於男人、關於藥水味的診所，戴著外科手套的醫生。其實她只想擦掉那一段謠言：無論如何，只是關於她過去的一種誤傳。

＊

放一片CD，就這樣全身鬆了，軟綿綿地。躺在她旁邊，呼吸很重濁。我對她做了什麼？……我一時想不起。啊——在夢裡。

老哥，我聽著她的CD跟你繼續寫。小時候，我爸神氣呢，帶我去陸軍總部，衛兵向爸立正敬禮。營房一排一排，樹種得整整齊齊。我摸著爸軍帽上的梅花，澄黃一顆，五粒花瓣，左右對稱的圖案，金線絞成的枝枒。

在哪裡？在哪裡見過你？你的笑容這樣熟悉。我一時想不起。忘不了的是一些枝節：一天晚上，我聽見爸壓低了聲音，在燈底下對我親娘說：「奶奶個熊，被美國人甩了，幾個軍的兵力，從泰北想要撤來台灣。眞的假的，混進來不少匪諜。」

娘在踩針車。我貼著娘坐，借那盞燈光看《牛伯伯打游擊》。衣服一件搭一件，每一件算價錢，車一條草綠色的內褲賺幾毛錢。

你的笑容這樣熟悉。夢裡——夢裡見過你。甜蜜——笑得多甜蜜。

接下去又攪混了。腹膜炎沒來得及送醫，娘就這樣突然掛掉。繼母帶著毛弟進了門。我開始悄悄跟在爸後面，害怕爸也會講都不講一聲，永遠走出我的視線。

電影院門口，撕票小姐要我爸去補票。

「你娘的，查我的票？身上的彈孔，一顆顆都是勳章，要不要我脫下衣服，露出彈孔給你看？」

我爸撈起便服上身，指一指褲子上的軍用腰帶，看，難道會假的。哪個人規定？誰說沒有帶證件，就不准購買軍警票？

那條軍腰帶上的環扣正亮，我幫爸用擦銅油擦出來的光芒。

撕票小姐羞紅了臉。我替爸覺得渾身不自在。他一身肉我都見過，半個窟窿也沒有，壕溝裡從來躲得好，他沒挨過敵人的槍子。

我趕緊矮下肩膀，鑽過收票小姐身旁的鐵柵欄。裡面大銀幕常會反白，發電廠經常跳機。又是匪諜搞破壞？有人散布謠言，新竹海邊摸上來幾隻小艇，匪諜夜晚出來活動，專門在島上剪電線。

後來繼母常往對門跑。竹籬笆從裡面用鐵拴扣上，我巴巴望著。瞞著爸，幹出什麼好事？那時日，人們開始有點餘錢，鄰家新添一台電唱機，從早到晚在聽黃梅調：「行人來往陽關道，酒帘兒，不住，隨風飄。」繼母還沒回家，毛弟坐在水泥地上乾嚎。唱機突然高亢起來，原來已經到吐血的結局：「難道我特來叨擾，酒一杯？」

到處都是低窪地帶，颱風過了一定淹大水。我坐床上，拿著瓢子往外舀。

CD在轉：「散步在檸檬一般月色中。」朦朧地想著大明星。原來我站在她的床旁邊，撲上來一股粉味，還有人在發燒的熱乎氣。

停下轉盤。取出那張CD。熱氣在我耳朵眼裡繼續打轉。

老哥

幫我做心理分析？怎麼，陳年舊帳都翻出來了。

你們告訴我，現在美雲也找不到人。那好，我一定也牽涉其中，涉有重嫌。先扯出我爸再扯出我前妻。媽的，乾脆下個通緝令，透過國際警網，下令抓人得了。

這種時候，聽大明星的歌，眞像吸上了那玩意。哪裡去找一張鴉片椅榻？躺下來吸幾口，骨頭酥了，怎麼折騰都隨便你們。

又好像上次踩在竹筏上，一片煙水茫茫。老哥，這些年來第一次，才算重溫我老爸提過的地名：景棟、猛撒、大奇力。跟著遠征軍，爸說那是艱苦的戰役。

小時候，眞實的希望，根據地不只腳下的小島，還有一支準備反攻雲南的勁旅。繞道敵後奇襲敵前，像極了當年遠征軍的路數。第八軍、第二十六軍，我們村子裡，說起那幾個軍的番號小孩都會鼓掌。跟廟裡的神明一樣，叫做「反共救國軍」。

抬頭看天上，偶爾飛機過去，不掛國徽的運輸機。我爸說，那是美國人在幫我們做大規模運補。

沒有人提到鴉片，沒有人聽過毒品買賣。反共陣營裡的一柱擎天。到後來才全變成了騙局。說什麼幾年準備、幾年反攻，一缸子謊話。老哥，我要說的是我爸，你知道葬禮上我沒哭，棺材裡根本是空的。

舊唱片堆到床底下。繼母把爸衣服掛得平整，一件件軍裝密封在塑膠袋裡。好像爸隨時會走進臥房，打開衣櫃穿上。

那之前我爸已經不跟繼母吵嘴，也不再催促我去對門找繼母回家。天黑了，我爸一個人坐在沒開燈的屋子裡。

有時候我豎起耳朵聽聲音，醉了還要往外走？巷子裡不穩的腳步，手扶竹籬笆，沿著水溝打酒嗝。我悄悄跟在他後面，換上便服的爸朝水溝吐口痰。媽的，幹，姦夫淫婦，宰了你們。唬弄我。奶奶的熊。

傍晚爸會坐在小攤上，幾杯白乾一碟花生米，他嘁呼嘁呼說到退役，說到還鄉，幾個老鄉壓低聲音，誰誰眞冤呢，關到現在，都是我們將軍的舊部。老哥，其實那時候我就會讀唇語。看著爸的嘴形猜出意思。我要聽他說些什麼。然後跟到了小電影院。爸脫上衣，露出草綠的背心。視線被擋住了，我爸指著晃動的一排人影，奶奶的熊，前排小板凳的，統統給俺坐下。

我繼續跟著他。直到有一天，人突然消失不見。

我開始在筆記簿上整理出疑點：李彌的部隊是一種關連，當年遠征軍是另一種關連，我爸抗戰時就去過緬甸，追隨將軍一路撤到印度。後來是C-47運輸機，拂曉從松山機場出發，天色暗的時候降落山區，在泰緬邊境卸下補給品。趁著夜霧飛曼谷加油，同一天凌晨返抵台北。

山區作戰那一套，當時我爸很在行。總部裡做少校參謀，他坐在飛機肚皮裡去過許多次。

一次更是大張旗鼓，幾艘僞裝的貨輪，穿過麻六甲海峽，準備在緬甸的毛淡棉附近趁夜摸上去，再沿薩爾溫江，向猛撒集結，打回雲南解救大陸同胞。媽的，好偉大的雄心壯志。只可惜被緬甸截下，我爸那團人也只好折返高雄。後來，我從局裡拿到那份機密檔案。

「反攻、反攻、反攻大陸去」，不只電影散場掃地的配樂。那時候，我爸心裏藏過多少祕密？

筆記簿上，我用鉛筆連連看，這根線連上那根線，又牽出遠處的另一條支線。線球亂成了一團。美國中情局插手幹什麼？西方公司眞正的企圖在哪裡？泰北後來的殘餘怎麼發展？怎麼生存下去？有沒有人擁兵自重？有沒有人據地爲王？販售毒品爲了絕地求生？還是將軍百戰聲名裂，終於買地置產，在仰光做起寓公？

我在筆記簿上密密加圈，另外有更難弄懂的問題。我爸爲什麼不見了？派令？潛逃？還是敵後增援？……老哥，那是謠言滿天飛的時代。我在筆記簿上用紅墨水註記：國防部軍事發言人柳鶴圖正式否認，沒有，一個也沒有，沒有任何中華民國的軍隊在泰緬邊區活動。

卸下來零件，我爸仔細擦那一把手槍。我幫他擦亮腰帶的環扣。坐在那裏，一道光刺進他的眼皮。

手稿上寫著：遠方的一線希望，靜靜地發出光亮。

緬甸的暹省南下泰國，五十條祕密通路。罌粟到海洛因，熬製程序中間出產多種半成品，純度不一樣，價格差異很大。工廠設在邊境，分岔成蛛網小徑，南下曼谷運銷全球。當年，美國西方公司經由同樣的管道，但是相反的方向：曼谷往北行，清邁是中途站，接著水陸兩棲，運送武器彈藥與醫療物資，補給山區的游擊隊。

走不出那裏的水域，一個人很容易消失不見。像大明星後來愛唱的探戈曲子：「你哭泣為了分離，分離分離後相見不易。」她喉嚨拔得那麼尖，簡直是淒厲的聲音。老哥，我和我老爸，仍然繞在同一條河的河岸上。

清邁往北走，從南邦到夜歲，大奇力過河，最北邊到猛撒。腳擱在竹筏上，我反方向回溯的剛好是當年孤軍撤出去的那條路。

河岸上簡單的生活，院子是泥巴地，四周種芒果樹。中間的空場，用陰溝分成好幾個方塊。生長玉米棒子、芋頭與主食的樹薯。

仰望著頭上一叢叢香蕉。住下來很容易吧？我哼著她的小曲：「看一看，說一說，小城故事真不錯。」

＊

巧不巧？蛛絲馬跡，照你們的邏輯，這些事確實都可以兜得起來。老哥，第一次在卡拉OK前跟美雲唱歌，點的剛巧也是大明星的歌。「如果沒有遇見你，我將會是在哪裡？」美雲湊過來，幫我打拍子。拿著麥克風，我們一起唱下去：「任時光匆匆流去，我只在乎你。」

後來跟美雲拍拖，才發現她其實不常唱那樣的歌。包廂裡，不用看客人臉色，美雲選的是《相思雨》：一句「卡想也是伊」，臉上有淚痕。後來她放下酒杯，說不哭，我再不哭。現在熬出頭，人家老婆啦。她把「老婆」這兩個字用力唸出來。

那時候新婚，美雲長胖了。搖著薄紗睡衣裡的屁股，美雲誇張地說，有男人養啊，就是要養到肚臍邊的肥肉會動，像果凍一樣打顫。她拉著我摸她小腹。經過滄桑的女人，都有奇特的方式表達親暱。兩層脂肪中間，塞得進去一根手指。

高興吃就吃，吃到多胖就多胖。有點贅肉，比起那群姊妹淘，現在愛做不做，隨時可以平躺下來。每次翻轉身子，肚皮晃盪著，胖到肥油打皺摺。她說那叫做「愛的把手」。「愛的把手」？多麼美妙的名字。老哥，我順著那個把手往上摸，沒有加鎖，門打開了，人躺在床上，汗酸混著菸味。垂到肚子上的兩朵肉，鬆鬆地失去了彈性。衣櫃沒關緊，櫃子內小燈開著。裡面一間有人？漏出來了一點光亮。一晃神，老哥，我寫到哪裡？對了，愛的把手，保羅正是這樣稱呼她肚子上一圈肉。Love handle？外國人才會這樣叫。剛才筆一滑，扯遠了。怎麼我又說到大明星？

所以美雲也失蹤了？告訴我，你們想拿她怎麼樣？老哥，那種女人，媽的很會裝，拿著麥克風就會掉下滿臉的淚。老哥，甭管她下落成謎，八成跟人跑了。早知道靠不住，聽清楚點，這次找上的姘頭，準是花稍的小夥子。就算人躺在我身邊，誰知道，她心裡卡想的又是哪個伊？

先是我老爸又扯上美雲，媽的，你們把事情弄得太複雜，老哥你一個大男人，心眼怎麼繞得跟雞腸子一樣！繞來繞去，你是要我跟你透露一件事：大明星死了沒有？到底她怎麼死的？

老哥

剛才掛斷電話，信裡再追加一筆。媽的，你們狠，現在弄得不可收拾，倒想要草草栽贓了事。照這個設計，從頭到尾是我在裝神弄鬼。我殺了人，然後再僞造幾大本的手記。

有沒有聽過一則故事？辦謀殺案的偵探，什麼都算得其準無比，天涯海角，跟蹤一個兇嫌許多年。算好了兇嫌該在某時某刻來到某地。等了又等，兇嫌沒來，明明應該出現，不可能推算錯誤。媽的，靈光一閃，偵探悟到兇嫌來了。原來請君入甕：推算得一點沒錯，照這個設計，兇嫌就是他自己。

那是早年，因爲我老爸的事，火車站的書報攤，買本偵探小說才跳上車。現在派上用場，對解謎頗有助益：再清楚不過，按局裡的規畫，那是你們爲我預設的角色。

既然嫌疑犯是我，換成你們需要解決這個謎團，爲什麼我要加害大明星？怎樣的動機讓我殺人滅口？

點出一個可能：我因爲慈悲而下毒手。媽的，就是安樂死的那一種。或許我不忍心見到，她站在街角，揮舞著手裡的絲巾，向每一個路過的人打招呼。她那時候經常會走神，總以爲還是舞台上謝幕的時刻。

人們事後才記了起來，站在街角的胖女人，圓圓的一張月亮臉，類固醇的反應吧，看來多麼迷惘，……也多麼沒有生趣。

腦筋再轉轉，替換上另一種可能，也可能把我說成色膽包天，求歡被拒一時失手等等。這樣的設計，老哥，若要聽我的意見，小弟認爲出手不高，反應出局裡長官的口味。

謎底揭曉：「前調查局人員辣手摧花」。報上斗大的字，還能看嗎？

老哥，我在想，想破了腦袋也要想，多少年都在找一個答案：爲什麼我爸要離開？爲什麼離開不跟我講一聲？最後那段日子，爸看起來那樣喪氣。有時候眞想，拿起那把手槍，扣扳機，床下濺出一攤血。說不定也應該那樣，既然無路可出，我幫爸趁早做個了斷。

媽的，到頭來，大明星只會溫馴地唱：「我會迷失我自己。走入無邊人海裡。」

我跟著她，這些年亦步亦趨跟著，我看得明白，路愈走愈窄，已經鑽到一條死胡同裡。或許我也走乏了，累到不想跟下去。先把人做掉，接著再跟局裡爭取，主動追查這個案子，順便一路湮滅證據。最後，我把手洗得乾乾淨淨，走入茫茫人海裡。

媽的，一點不值得可惜，我們這一掛，本來也淪落得差不多了。

當然，事情也許根本不是這樣。講給你聽，爲了要誤導你們，放出來的訊息通常都是煙霧。

老哥，記得不？小時候有一種炮仗，叫做「黑龍」。你玩過沒有？小小一顆，用香燒它，先是一陣青煙，然後冒出來一團濃霧。燒完了，地上還會留下蛇身一樣的圖案。像極了泰緬邊境地下工廠的出產，高檔貨的海洛因。用鼻子努力哼嗤的那種。

隔一張錫紙，劃根火柴，點火在錫紙底下燒。半天，鼻子哼嗤一陣，錫紙上燒出來一股輕煙。

「縱然天邊有黑霧，也要像那海鷗飛翔，飛翔。」偶爾伸出翅膀，試著振翅高飛，大明星也會拉出昂揚的嗓音。

相反過來看，老哥，正是小弟我在製造煙幕，我在幫她規畫逃生路線。而我們的信函來往，爲她爭取到不少時間。總之她要逃，衝破天羅地網，她要飛出去。像她在手稿上寫的，不要讓你們找到就好。

老哥

打開天窗說亮話。現在掀底牌了，我已經把各種可能一一寫給你。老哥，回過頭說說你，你一直都知道什麼我不知道的事？

或者K老從開始就是對的，記不記得他在《獨家》上的發言？所以根本是你們設下的餌。你們想要一箭雙鵰，在清邁殺人滅口。後來人不見了，緊接著，卻又發現需要四處闢謠。所以派我在這裡收拾殘局，而敵詐我虞，你們始終放心不下，怕我發現了不該發現的眞相。

媽的，仔細分析起來，對局裡來說，她靠不住。一個人豁出去了，就代表可能的背叛。先是計畫太嚇人，都怪小日本在旁邊慫恿，竟然想到天安門廣場開大型演唱會，眞要去成了，局裡明顯失職。另一個理由是她後來的墮落，面子問題，永遠的情人失陷在毒品的天堂，局裡必然也有所顧忌。就像當年美國的鮑伯霍布，藝人一旦被標高成敬軍楷模，形象再不能夠出任何差錯。

試想有多嚴重？勞軍表率拔營去到敵人的軍營，君在前哨變成君在敵人的前哨。更何況她可能眞有代號，像K老說的，局裡交付過蒐集情報的任務。那就更不可赦，罪名叫做陣前叛逃。

先下手爲強，趁早設計出斧底抽薪的辦法。這樣永絕後患，符合局裡的行事風格。當時，一面答應回來勞軍，她已經在規畫天安門的大舞台。兩相比較，權衡利弊得失，你們面對的難題是：怎麼樣把傷害減到最小？

放一遍之前的談話錄音：

「我看見這麼雄壯的國軍陣容，有直升機、戰機，各式各樣的，轟隆隆的，我的心裡好興奮、好激動，我眞想大聲高喊：偉大的國軍，我愛你。」

記者在淸泉崗對她做專訪。那時候，她的嗓子仍然很適合心戰喊話：

「我會繼續在台灣做勞軍的事。因爲我們國軍太偉大了，他們的士氣高昂，以寡敵眾多麼可敬。中國大陸有三百萬兵力，台灣只有二十萬。」

她右手舉在眉端，標準的軍禮動作。頭上戴著鋼盔，身穿上下一套的野戰軍服。那一頁圖文並茂，圖說是她繼續要當反共先鋒。

翻翻那時候的《中央日報》吧：

慶祝這位藝人回國，台北市立體育館舉辦「掌聲與心聲」演唱會，節目長達三小時，並對中國大陸地區播音。這是三民主義統一中國的先聲。

你們一步步沙盤推演，執行之前，局裡要先期布建。從背景裡篩選，你們算準了我一定會自願來到泰北。當然，我只是設下的暗樁之一。至於保羅這個外國人，則是你們在當時布置的煙幕彈。

自殺曾經是一種方式。讓她自我了斷。看起來像自己下手，問題就會單純許多。局裡仔細地評估，壞處是立刻要應付外界的諸多質疑。以大明星的爲人，會不會拍拍屁股走人，讓家庭連帶著蒙羞。何況她的歌迷沒有忘記她，沒錯，復出是會需要一點時間，她必須急速減肥，必須學唱新歌。但是站在台上，她仍然引得人們尖叫出聲，她依舊有那樣的魅力——明明還可以東山再起，什麼原因，竟會產生輕生的念頭？

於是發展出另一種可能：跟蹤她的幹員是兇嫌，由我下手解決她。打開我的資料做分析：酗酒鬧事、侵吞公款，加上酒廊打架、爲了女人爭風吃醋，說不定還有嗑藥的前科等著舉報。我沒刮鬍子的幾張快照，很適合放上緝捕通告。而且我頭腦靈光，所以又是智慧型犯罪。故事即使兜不攏，人們也會很快放棄這盤智力拼圖。

還有，這種聰明人一定想要嫁禍，嫁禍給伴隨大明星的法國人。你們將計就計，警告小公雞快跑。指給他一條明路，別礙手礙腳，聽到風聲就趕緊閃人。

現在圖窮匕現。走到這一步，是不是要勞駕你們來解決我？

到後來，大明星終於警覺到異狀。她可能發現了什麼。再湊巧不過，老哥，True Lies，正是她最後租的一部電影片。

「我和你共始終，信我莫疑。」她全心全意地唱，唱得心都空了。她爲國盡忠，爲職務盡瘁，犧牲寶貴的青春，還不夠嗎？讓她活著，還有機會活著。爲什麼有人總是不肯放過她？

第五章

逃生的方法

後來她想通了，在這個世界上，不是死亡，就是找一條路出去。

醒來時，她已經在一種奇怪的暈眩裡。光線帶著濕氣，她的船在薄薄的暮色中漂著。

老哥

你們畢竟沒有逮到她。

記不記得小朱找來的那句話？「只有虛構諸般的可能性，才能夠描畫她的心靈水紋圖。」手稿是我寫的，或許，都是她寫的。到這種地步，手稿是誰寫的，早已經沒那麼重要。

老哥，失聯的組員不好當。每隔一段時間，媽的，我還在持續向你報告。狗改不了吃屎的習慣。多年來，我是局裡養著的一條忠狗。老哥，派我當個不定期連絡的線民好了，局裡有這種先例，變相支薪的一種方式。

你的信上顯得焦灼，幾年的工夫，台灣亂成這樣。上封信我勸你退下來幹別的，當然，幹點什麼是個問題，中年轉業不容易。小買賣都需要一筆資本。我們這一行，身上烙印太深。對了，手臂的刺青你洗掉沒有？

等這件事有個結果，說不定，我會回到台東，買一塊地，或許就此安定下來。那裡是阿妹的故鄉。

提起阿妹，想到那個跟名女人相熟的醫生。上回掛電話以前，他說：「去大陸演唱的不是阿妹，而是她，兩岸的關係可能都不一樣。她讓人覺得溫馨，像是自家女兒回來了。

年輕人難以掌控，加重不安全感。」

附送這最後一章，裡面留下了不少線索。一來，做個總體回顧，二來，對局裡，我也算不念舊惡。

細心的話，答案都在裡面。

他離開，她追了出去。然後他們爭吵。有人抬起手。

二十四小時之後，候機室的吸菸區，黑皮長椅上，男人抱住頭。睜開通紅的眼眶：恐怖的事情發生了。

她不忍地想著：男人將會記起自己痙攣的表情。這張面孔恐怕要伴隨保羅的後半生。

其實是小事，之前也是些小事。不重要的事情疊在一起，一樁一件，斷送了他們的感情。

那一場別人口裡的婚變，不是那樣，並不像別人傳說的那樣。

真的愛過他嗎？那位婚約的對象。她努力回想，甚至記不清楚有錢少爺的面容。

「做我們家的人啦，委屈點呵？」牽著她的手，老太太很大聲地問。別人以為那是原因。其實她介意的從來不是放棄唱歌那件事。

帖子印好了，到最後才發現大錯特錯，自己一點也不愛這個要嫁的男人。雖然這麼多年在影藝圈，聽也聽多了，別人都那麼說，重要的是錢，錢才能夠保證生活品質。至於有沒有愛情，婚姻中間不是要緊的事。

活在雲裡霧裡。再大的家業，遲早從手裡敗光。後來，大明星裝著不在意，輕描淡寫地向別人解釋。

記得的是片段，擁上來的記者圍著她；鎂光燈架高，入境處對準她不停地閃；從玻璃門的縫隙，丟給她難堪的問題。媒體已經認定：這次婚約破裂，將是她畢生難以平復的挫敗。

到底發生了什麼？太久以前的事，她懶得再回頭。有時候，硬要去記起一件忘掉的事，那件事就變得愈發嚴重。

隨他們高興吧。人們愛怎麼說就怎麼說。

從小，她就太在意別人。

有些突發的因素仍然困擾著她。

那天，如果保羅及時回頭，他們可能會又一次言歸於好。就像往常一樣，假裝他從來沒有打過她，一回回爭吵不曾發生。她喜歡偎在男人懷裡喃喃自語。多久了？她不曾走出那間旅館套房。

她在房間裡等，等男人轉動門把。壁櫥的小燈開著，吊了幾件晚禮服。將來有一天，會不會都打上強光？一件件掛得跟標本一樣。人們總不肯放過她，想出這種「衣冠塚」來折磨她。

她寧可練習逃走，一種百玩不厭的遊戲。

只要推開鋁窗，外面是葡萄藤蔓，還有開胃菜、魚子醬、白裙子的女侍，坐滿了等著鼓掌的人群。她始終在玩這種遊戲，這一次，假裝自己是個春天的新娘。婚宴別出心裁，在酒的莊園溫馨舉行。小徑旁，種花草的地方，她要擺許多隻紫色萵苣。眼光再繞回室內，銀盤上的生菜她精心挑過，幾種季節的口味，菌菰、蒔蘿、沾一點松露當作料，味道真好，她尤其愛唸「松露」那個字的法文發音。四周瀰漫的是腐葉的氣息，每樣蔬果都有不同的裝飾效果。

她認真地盤算，要到哪裡去蜜月旅行？

後來，她又記起一些瑣碎的事情。

那時候也真的相信，自己是與平凡人有距離的大明星。逛街掛著太陽眼鏡，戴長手套給人家簽名。到坎城的海濱旅館度週末。有意識地與一般人劃清界線，朋友也都是自覺高人一等的閃亮星星。

記起與女朋友海邊渡假。小Ｌ推推她，深一點的地方，裸泳你敢不敢？她打個噴嚏，趕緊在沙灘上擦乾身子。

她其實不會游泳。習慣的是站在游泳池畔，任由攝影記者取鏡。水花濺濕了游泳衣，她四處拍打，留下戲水的畫面。

這一瞬陽光灑在身上，與女朋友在一起，心事很容易在沙灘上透明起來。一個個數算曾經在一起的男人。「叫查理的男明星，」很快的警覺到什麼，她不說話了。

她看著小Ｌ，滑溜得像豔陽下的一條魚，水珠從光裸的手臂流下來。

「那個花心的傢伙，」手指著彼此，兩人同時笑出聲。

一些瑣碎的事情。

浪花裡碎碎的亮光，反射的是月色？岸上的照明設備？還是遠方船隻經過的信號彈？

這時刻，她想到上次跟著朋友去捧場。自己戴著墨鏡，安靜地坐在後排。台上打強光，或許是燈光的角度不對，台上的歌星顯得蒼老。「好像海面浪花的閃爍光亮……」她坐在台下聽，一字一句聽得好清楚。

自己的音域比較高，唱不出這樣低沉的嗓子。那一天坐在台下，眼淚順著臉頰流下來，嘴裡一股澀澀的鹹味。

「似這般奇情的你，粉碎我的夢想。」她想起遠方一閃而逝的光亮。

「殘留水紋，空留遺恨，願只願他生……」海面上碎碎的亮光，餘光拖曳在她的眼角。

波紋中有一種光暈。近得就可以用指尖碰到。

水天無際，必須要找一條路出去。

老哥

她說，要找一條路出去。媽的，你們在什麼地方失算？讓她輕易擺脫了你們。

爲什麼百密一疏？如果還有不甚了的地方，老哥，提示你一幅電影畫面，僅供解惑之用。

現場沒有槍聲、沒有指紋。旅館上下早已經打通關節。暮色中一輛救護車急駛，嗚嗚地鳴笛，飛快向河邊開去。

同時提醒老哥，其中有重點提示：當時小弟可能人不在曼谷，意識到危險，我緊緊跟著她。

局裡下達幾個密令沒錯，訓令我切斷聯繫。即使之前也叫我保持距離，千萬不要打草驚蛇。但一早養成了職業習慣。現在告訴你也沒關係，不只一次，靠著一瓶噴霧劑，千鈞一髮，我衝進房間幫過她。

別忘了我會讀她的唇語，我熟知氣喘病的發病情形，我也早就料準了她的男人不可靠，……你們千算萬算，漏掉了極爲重要的環節：有人螳螂捕蟬，而我黃雀在後。緊急狀況下，直覺的反應是格殺勿論，斃掉逼近床邊的任何人。

死亡證明有用處。救護車在河邊停下來，換了幾個接應地點，一個小時之後，載著另一具屍體回到醫院。

權充頭腦體操，敬獻給局裡的長官們參考。就像大明星手稿上寫的，無非是眞相的另一種可能。

水龍頭底下，用肥皂一遍遍搓手，我把手上的血跡洗得乾乾淨淨。

醒來時，她已經在一種奇怪的暈眩裡。光線帶著濕氣，她的船在薄薄的暮色中漂著。

引擎壞了？遇上狙擊手開槍？一個屍體躺在船艙裡，她模糊地知道。

她踢一踢俯趴在艙板的屍體，手腳伸得挺直。一個陌生的男人，會不會是雇來跟她的殺手？她俯下身，前額貼向那具男屍的頸窩。這次聞到身上的汗氣。很久沒有洗澡，混著大麻特殊的味道。她覺得熟悉，還好不是他。仔細地嗅，身上似乎留著旅館床單的漿洗味，她記起旅館房間裡的爭吵。多久以前的事？

僵直的屍體翻個面，不是我的愛人。她彎下身子，把圓睜著的眼皮闔起來。就這樣了，她嘆了一口氣。

真是那個男人又怎麼樣？到頭來，男人總讓自己傷透了心。

其實存過希望。那時候他們剛見面，男人傻呼呼地過來招呼。保羅後來說，那天，真是看走眼，或許是太陽照射的角度，臉龐迎著光，看不出年齡，他誤以為眼前的東方女人異常年輕。

她離開錄音室，走下螺旋形的鐵皮樓梯。沒出大門，腳步已經從後面趕上來。

「剛剛在錄音間裡，我認識，你，呃，呃呃，你剛才沒注意，我在那裡找朋友，我看到你，你跟我說嗨。」他又快又急，有一種迫切。

她笑了。陽光很好的早上，有個大男孩過來搭訕。

男孩一路追過來，不確定想說什麼，只是要引起這個東方女人注意。

後來在咖啡座談下去，這個大男孩善解人意。太陽傘底下，微褐色的眼珠透出一種光，很久沒看過的光亮。

後來一遍又一遍，她喜歡聽他親口說，兩人怎麼相遇的故事。

真的最後一次，再跟我說一次，我的親親，再說一次也好嘛，這是最後一次。以後不問了。每次她都這樣哄他。

以後真的不問你了。她細聲說。把男人拖到船邊，輕輕推進水裡，死去的人原來輕得像一件衣服，一點也不重，她心裡有奇異的輕鬆感覺。

夢裡夢裡見到你。她告訴自己，耐心點，水面上再漂一陣，應該會出現一座燈塔。遠遠就看得見光芒。至於她的過去，竟然都是一場夢。

後來有一條大船過去，影子水面上緩慢地移動。人們望見她向船上的桅杆行舉手禮。

我的愛人再見，不知哪日再相見？我的愛，相信我，總有一天能再見。

她想到上岸去。到處是枯枝，應該很容易吧，在沙洲上升起一堆火。她記起軍訓課上教過的內容。

對這種急就章的事她很有把握，休學那年才十三歲，以後都靠自己。她凡事學得很快，很快就可以學會「野外求生」。

升起火，濕衣服烤乾，不要著涼就好。

捱過這一夜，明天就是新的一天。

再次從甲板上醒來，她瞇著眼睛看見光亮。水道間有一道金光。

她經過這家賭場。金三角上最宏偉的建築。

她躺在船上，穿過蘆葦叢望過去，她的心臟加速。這一次是逼近的危險，三不管地帶的一方沙洲，掛著三種國旗的巡邏船正在緝私。

巡邏船過去了，在水面留下一塊塊油漬。她偏著頭，彷彿聽見吃角子老虎中獎的鈴聲。

下一個鐘頭，她正在賭場裡試手氣。

她喜歡看小白球在輪盤上滾動，轉兩圈之後，球的速度會漸慢，每個格子裡停留一瞬。她屏息等著，小球再往前滑，眼看又爬過一格，下一格她應該還有機會。

她寧可相信運氣，一大把籌碼，瞧都不瞧她就往前推。

小球再轉一圈，聽得見自己心臟在怦怦地跳動。她嬌嗔一聲，喂，你這人，有沒有禮貌？好討厭，下注時有人在桌邊瞪著。她用手肘推開身旁扮作賭客的男人。以為我不知道，一路跟蹤我到這裡，有人交付給你任務還是怎麼樣？

她相信絕地逢生的道理：愈在不可能的地方，才有可能找回來一線希望。這裡是冒險家樂園，她終於遇到從未得過的愛情：骰子碰另一個男人的骰子，他們在賭桌上相遇。「間諜對間諜。我跟著你很久了。」男人擠擠眼睛對她說。在她弄清楚那個人的企圖之前，已經死心塌地跟著他。

而且好事成雙，下一局輪盤，小白球恰巧停在她買的格子裏。獎金高到她必須漏夜逃走。金三角的規矩正是這樣：下半生必須隱姓埋名地過日子。

不是海浪，是我美麗的衣裳，漂盪。

老哥

我的良心建議，多讀讀幾遍上面這一段。值得長官們仔細推敲。果然如我所料：她還活著，媽的，多令人振奮。

媽的，我狗屎運當頭，小弟手氣順了。難以置信的是，跟在她身邊這麼久，破天荒第一次，她居然注意到我這個人的存在。

接下去就容易多了：跟她在一起，我們兩人一起畫這張逃亡的地圖。泰國像顆缺了邊的臼齒，清邁上面是清萊，清萊右上角就是金三角，所以從清邁出發，一路往北行，接駁的邊界城市是昌盛。在昌盛換乘另一艘小船。金三角的右邊是寮國，左邊是緬甸。船頭向南還是向北？把地圖顛倒過來，根據太陽的斜角計算方位，永珍應該就是航程的下一站。

然後，哪裡出了差錯？

罌粟種子在鍋裡熬汁，褐色泥漿翻滾著。有時候沖上來一股煙氣，眼前突然現出清晰的輪廓，見到的是那天黃昏的景象。

門沒關緊，小燈開著。床上有用過的針筒，她闔上眼睡了。跟了她那麼久，也是第一次，不必瞇著眼睛，不必調準焦距，有機會近距離端詳她。

順著肚子上一層夾心肉，向胸前探手。脖子上都是冷汗。床頭燈底下，白慘慘一張冒汗的臉，水漫過的粉牆，一碰就要塌掉。然後我洗手，真捨不得洗乾淨。原先說過，我喜歡粉味的女人。

一路跟著，人怎麼還是丟了？後來，哪裡出了差錯？

她站在公路上張望，一定出了差錯，接應的卡車還沒有出現。是不是舢舨翻了？上次有大新聞，偏遠地區上了CNN國際頻道。過河的舢板當場沉入河底，上面有二十幾個擺渡的村民。

那一晚，她投宿在路旁的客棧。黃昏時買了日用品進門，洗衣肥皂與礦泉水。入夜後吹來一陣涼風，木板門吱嘎著，涼席上留下一個汗濕的印子。睡過的地方有針管，還有掙扎的痕跡。

接下去的事情難以啓齒，Kill me or cure me？跟著她來的男人犯下什麼樣的罪行？

「一路上夢來夢去無頭無尾，窗裡窗外漆漆黑。」男人低哼著她的歌。關上木板門，手裡夾著的菸蒂丟在地下。

她始終沒有喊叫，她不習慣聲張，一早學會了忍耐，把不能聲張的事吞回肚子裡。她跟別的歌星不同，她的名聲太好。名聲建立在必須繼續維繫的美德上。如果人們到現在才弄清楚真相，她欺騙了他們，那將是很嚴重的誤會。

她不敢去揣想人們的反應，自己從來不是他們認識的那個人。

這些年，讀到報紙上的八卦報導，她都會好生羨慕。亂有膽量的小明星，真的敢欸，嗑藥、墮胎、跟男人私奔、被有錢人包養。自己的情況比較特殊，不只她，還有她的一家人。上次回家去，她看見掛在衣架上的軍帽，有人掛上梅花，這是家裡的大喜事。

國軍突擊湄洲島成功，哪一年的春節？民眾佇立道旁歡迎王師，頻頻追問反攻日期。

暗夜裡，遠處沒有出現車燈。她不死心地望著那條公路，接應的卡車仍然沒有趕來。

下一分鐘，手電筒的強光在掃射，她撥開蘆葦，匆忙跳上一條小船，這裡的水道滿布岔路，底下的礁石凹凸崎嶇。從內到外翻起來的浪叫「湧」，看不見白邊，翻起來的時候也不會濺出水花。水道錯綜複雜，人們很不容易找到出去的路。

站在淤泥裡，腳踩不到河底。頭露出在水面上。她記起自己其實不會游泳。

她輕輕閉上眼：只是一種虛幻的光亮，逃不出去，從來沒有任何希望。

那是另一種可能，河水流到緬甸的莫塔馬灣，過了安達曼海，就會順風漂向太平洋。

她放鬆手腳，任由水紋決定去留。

網膜上映著佛寺的金頂，遠處綿延的山脈，山腳下一條彎彎曲曲的坪河。「雞聲茅店月，人跡板橋霜。」這個古老的市鎮裡，住家房舍層層疊疊，污染原只是機器腳踏車放出的廢氣。

一場雨下過，旋轉門灌進夜市的熱氣。牽著男人的手，他們過街去租錄影帶，不小心會踩到落在地上的雞蛋花。

那時候住在旅館裡，她喜歡推開那扇鋁窗。手指伸進隙縫，從兩層鋁窗中間掐出長腳的蚊子。

空氣霧濛濛地，玻璃沒擦乾淨，隔著窗看，遠處一片灰濛。

跟習慣的空調不一樣，外面是新鮮的濕空氣。她吸鼻子，雨季總有東西在腐爛，坪河中漂著幾塊樹幹。如果她踩在水裡，斜躺下身子，一點也不緊張，會不會像木頭一樣漂浮起來？

遍地烽煙的北地、杏花春雨的江南，她的歌穿過千重山萬重水。

張開眼睛，河岸上已經是迷茫的暮色。她仰天望去，隱約看到有七顆，彎轉成勺子的形狀。小時候坐在門口乘涼聽媽說過。哪一顆是指出方向的北斗星？她忘記了。

喉嚨嗆住，吞下一口味道很奇怪的水。憋住氣，把頭浮出水面。她一邊咳嗽一邊想，院子掛著白燈籠，沿著坪河一家一家開下去，據說，這是暴走族的河邊酒吧。

星星，一向會帶給她幸福的想望。媽，她輕喚著，這時候能夠回家多好。「晶晶——晶晶——」她無聲地哼起來。

她想起小時候，湊近透出光亮的雞窩，手裡摸著小雞軟軟的絨毛，小雞就要長大了，拿到市場上去賣，家人的日子會更好，那裡還有無限的希望。

海水沒過她全身，嘴裡充滿了鹹味。她俯身向前，面孔朝下，乾脆把頭埋入海水裡。

她告訴自己放輕鬆，由此，她會滑入另一個世界。

再次醒來，遠方有了光亮，確定的方位感給她很大的安慰。

等下第一件事，她想著沖洗鼻孔中的黏液。人們發現她的時候，攝影機圍過來：她要像往常一樣，把自己弄得乾乾淨淨。

閉住氣，頭往左右側搖晃，長髮在水裡涮過，順便將耳朵後面的污垢沖刷一遍。

她告訴自己，慢慢來，還有一點時間做準備。漣漪在擴大。水沫濺上她小腿，一顆顆滾圓的珠子，再從腳踝上滑落下去。膝蓋撥動水花，形成某種韻律，大腿交接處那重癢癢的快感，她多久沒有感受到？

溫暖的陽光包裹著她，睏意像潮水一樣襲來。過去的事剩下模糊的影子。隨著漣漪擴散到遠方。

無條件的愛，沒有邊界的愛，不知道她是誰以前就已經愛上了她……的愛情。

水珠、陽光、她的光腳丫，有時候，毋需要愛情，僅僅是感官所帶來的快樂……。

後來，她的腳丫更往下探，肩膀在溫暖的洋流裡擺動起來。

一點也不費力氣，她終於學會游泳，學會了擺動手腳。原來讓自己滅頂，才能夠徹底放鬆自己。

她的腳趾在礁石間迴盪，隨時可以觸碰到透明的魚鰭。那種寶藍、那種碧綠、那種金黃，那種陽光折射下的透明感。她覺得腰肢柔軟起來，從來沒有想到自己能夠做到：一百八十度的彎轉角度，那是從腳趾到腰肢的連續動作。原來不用講話，不用唱歌，不用費勁呼吸，不必解釋什麼，再也不必辛苦地否認什麼。自己只是一條魚，一條用鰓呼吸的魚。她想要的就是自由自在。

沿著彎曲的水道，她的頭髮披散下來，一撮一撮纏繞著的海藻。

陽光透進海底，小小的微生物上下懸浮，她仰起頭來迎著光。這次，她看見了一道光束，她試著伸長手臂，再伸長一點，幾乎觸摸到那道光。而腳尖可以碰到地，流沙一樣的歲月。

雨季開始了。

雨季已經開始了。

老哥

我改變主意，暫時不再連絡。

這幾年我去了一些地方，也許在泰北、也許在雲南，找到一條河的河岸住下來。難以安身的時候就離開，沿著一條河繼續漂流。

她在哪裡？爲什麼處處留下記號？有幾次只差一點點，我就要趕上她。媽的，或者我始終在她身邊，她從來沒有眞的走開過。

老哥，留下來的線索都在這本書裡面。沿著一條河，我要繼續去找她。

〈附錄〉

以小說拼寫傳奇

——平路專訪

蔡淑華／採訪整理

問：在美國時開始寫作小說，之後回到台灣，身處台灣內外，故鄉與異鄉，你覺得不同的生活環境對創作有何影響？

答：那時在美國寫了〈玉米田之死〉，小說得獎也算是一種鼓勵，想花更多時間寫作，所以在私人公司時就把全職工作變成兼職。這是一個很大的轉折，因為一旦做兼職，等於是跟這世界自承是一個沒有野心的人，只是要度過這個時間。我開始花時間去圖書館寫東西，再也不用很可憐地在抽屜裡偷偷寫，但還是覺得給自己的時間不夠，之後決定乾脆辭掉數理統計工作。因爲需要維生，我也寫一些專欄，並試著回台灣半年，後來又到美國華盛頓特區做特派記者。但從媒體兼職到全職，終究還是覺得不行，還是要回來這塊地方，所以就決定回國。

在異鄉時會比較焦慮，時常在想自己與島的距離，總是很怕心裡唯一的那塊土地漂走了怎麼辦。所以也就更大量閱讀國內的任何消息、報導、評論與文學作品。回來後其實比較篤定，知道自己不可能再離開，這就是我的環境，我做的決定。寫作是所有事情的核心，所有的事情其實都圍繞著我從二十幾歲即已決定的志業，這是我要的人生。

此外，爲什麼會寫專欄、評論，其實也是明白要在中文文字環境維生，一定要比寫文學作品多一點技能，而剛好對社會也有一些意見，對我而言，那些意見有一個管道可以很快、很直接地出去，不是壞事。

以習作態度寫一輩子

問：從一些座談與評審會議中，可以知道你的活動頗多，其中除了因為只寫小說似乎無法拓展領域外，是否還出於一個作家與社會責任感間的聯繫？

答：是的。我覺得我們這樣的人，問到最根本的問題，是一個人應該要讀書而涉世。讀書與寫字是爲了自己的愉快，可是另一方面，你絕對是有涉世的部分。我們不只是要想到自己，總還要想到比自己大一點的部分。我唯一而單純的想法是，希望台灣會更好。那也就是我在美國時永遠會面臨的問題：我眞正關心的社會不是我腳底下、每天生活其間的社會，而回來後，這中間的落差就重合起來。我知道這事情不能心急，但始終相信台灣會更好，只是必須有一個過程。我們現在每天做的，除卻爲了自己的快樂外，其實都是希望我們的社會、台灣人的日子比現在好一點，更符合各種希望的素質，包括民主在內。

問：寫作各種文類，除了是就不同面向付出關懷外，你是如何看待個人身分的轉換？哪種文類寫來最暢快？

答：其實對我而言，這些都有助於寫作的練習，另一方面則是寫作上的拼圖。例如有些題材用科幻來寫是可以的，有些用歷史來寫是可以的，而如果我們學會多種技能，有一天眞的要寫什麼的時候，就會更準確地把它運用出來。寫評論其實多少有一點過往對自己生涯必須的考量，可是最喜歡的還是文學作品。因爲這個世界，以及一個人的內心活動都是很複雜的，而所有的政治語言、評論語言，卻往往必須以一個很簡便的分類方式對其加以簡化，給與一個頭銜或職稱，那對個人是很不公平的。當然是小說寫來最順心。而小說就是小說，不同的文類、形式其實都只是因地制宜。對我而言「內容」才是主角，之後便是找一個適合的方式表達出來，其間靠的是直覺與試驗。你一再地寫，則最適宜、最貼合的手法與敘述人稱就會跑出來。所以我不分文學類型，像格雷安・葛林（Graham Greene）的作品究竟是推理、偵探還是愛情，其實很難界定，類型也可能不是他最先的考量。作者的任務之一是如何訓練技能，把想說的話最準確地表達出來。我們每一部作品都是習作，都是在練習找到那個最得心應手的方式。嘗試的過程中常會覺得不夠「準」，這經常是由於練習得還不夠多，花的功夫還不夠深。

小說其實也是一門手藝，以前我們面對文學常會覺得是天才使然，一個天才作家與作品就應該是那樣，而忘記了「過程」。也就是說，你看到一個人的少作與他後來作品間的差異，其實即是功夫。而且只有這樣才能寫一輩子，你永遠想像下一本書會更好，而在正常情境下你的技藝應該是更進步，感情應該是更豐富的。像張愛玲，當然是有天才，可是她在那幾年裡很濃縮地磨練，所以還是看得到進步，雖然可惜沒有後來的世界。對每一個喜歡文字的人而言，寫字一定要是他一生最喜歡的事情，要有一個愈做愈好的過程，否則多無趣。

穿透粗糙的大歷史敘述

問：在早期的〈玉米田之死〉、《椿哥》等小說中，你常以男性敘述觀點切入；可是近幾年來，又偏向於關注一些女性角色與歷史，可否談一下在性別議題上對自己身分的認知，以及對小說敘述者與被敘述者的觀察？其間轉變的過程又是如何？

答：這剛好回應上一個問題，其實都是習作。我剛開始確是比較喜歡用男性的敘述觀點，因爲我不確定自己女性的聲音在哪裡。其實自己談這個問題眞的不準，存在著一個大問號，自己看自己常會失焦，就像你問我：我是如何變成這樣的一個人？我也許可以說一堆，但可能都是非常意識層面的，與眞正的答案有距離。也許那時的男性聲音對我而言較自在，可以隱藏自己。後來我覺得女性的聲音較可以自在地發出，可能那些年間我原先的拘束、拘謹較放開了。其間的因素很多，眞正的原因是什麼也是個問號，可是都沒有關係，因爲像在這篇新小說裡，至少我很努力地試著讓男性聲音與女性聲音同時出現。這就是我們剛才談到的習作，都是爲了可以更準確地表達你想表達的情感。對我而言，《何日君再來》裡需要一個男性的聲音，也需要一個女性的聲音，這兩個聲音的匯聚有它本身的意義，此時我就會很感謝以前各自用過男性與女性的聲音。

問：你在之前的一篇雜文〈小與大〉裡提到：「文明的歷程裡，大的吞下小的、強的兼管弱的。」這其實可以貫穿你作品的基調。以此出發，出現在小說中的許多書信手稿都是刻意的嗎？

答：在過去，很多國家民族與大敘述中，女性歷史等小的部分，往往都是爲了大目的而存在，而很多大目的其實是非常虛妄的。以〈百齡箋〉爲例，一方面有演講稿、官方說法，以及歷史文獻下的信函，另一方面則有私人書信，這時候小說作者當然也可以去參一腳，寫出另外一個版本，小說作者總是試圖在這許多的敘述當中，像拼圖遊戲一樣，拼出很細膩的女主人翁。

問：寫作《何日君再來》最初的動機？

答：其實每個人的生活都是一個myth，一個傳奇故事，可是很多時候我們的社會、甚至官方說法是以愛爲名地去保護他／她，以爲那樣的方式是最好的。但其實就像傳奇故事一樣，也許拼圖永遠不可能還原眞實的畫面，但總比透過各種有目的的，或者看似善意的統一說法要來得好。對我而言，這才是對我的女主人翁的一種善待，也是我喜歡她的方式。

《何日君再來》大概寫了三、四年，小說先是放在背包裡，然後是電腦，跟著我到很多地方旅行，泰國清邁、日本、香港、法國、中國北京天安門等等。旅行的時候，會感覺我是帶著小說、帶著女主角一起去旅行。而寫作小說一開始的動機，是因爲我對那個傳奇故事很有興趣。對我而言，主要的關注點還是個人，個人是如此地被誤解而沒有說話的餘地，不論是蔣宋美齡、宋慶齡或是其他女主人翁。當然我也在意時代背景，那是小說的內在元素。

「小說」的英文是fiction，即是虛構，是我在想像我的女主人翁。小說絕對是虛構的，而我要問的是，世界上所謂的「眞實」又有哪一項不是虛構？又有哪一種文體不是虛構的呢？至少「歷史」就大部分是虛構的，傳記是，自傳尤其是。所以爲什麼我們剛才提到多重的聲音，只有你把多重的聲音並陳的時候，才比較有可能呈現眞實，而且這也可謂是一種民主程序。以前都是官修前代史，歷史是被朝廷、史家以及許多政治因素所武斷、所震懾，歷史判定忠奸好壞，判定誰是楷模、誰是模範，而那其實才眞的是磨滅個人。

傳奇故事因豐富而流衍

問：正如官方說法之外會有其他版本，你在寫作時是否想過會有不同的聲音出現？

答：那是一定會出現，因爲我們本來即無法還原事情的眞相，本來就是眾聲喧譁。就像拼puzzle一般，如果大家努力的話，也許可以拼出一些擬似的眞相——它可能是來自官方的、家人的，或是小說作者的。而且很重要的是，我們記得一個人、傳頌一個人，不是因爲片面的說法，而是因爲他／她的故事很豐富。只有他／她的故事夠豐富，他／她的名字才能更長久。何謂傳奇？傳奇要有一個豐富的想像，每個人寫的、添補的其實都是這個傳奇的一部分。只有讓衆聲喧譁，只有說法的歧異與多端——甚至我在小說裡也試圖用這樣的寫法，才永遠有更多的可能性，我們提出的永遠不會是最後一種可能。我們大家都在幫忙傳奇的繁衍，如果只有一種說法，則這事情還有何流傳的意義。

問：為何在《何日君再來》中，會設計出一個情報員作為主述者？在小說中，情報員似乎變成一個橋梁，一個串連官方資料與手記之間的人物？你如何有自信去揣度一個情報員，以及大明星的聲音？

答：我覺得情報員這樣的角色，很適合出現在這個故事當中。他是一雙很好的眼睛，我試過多種角色，但他這雙眼睛是最足以表達的，而且又有一種滄桑感。我自己本身沒有任何相關背景，但我對間諜與情報員這種角色非常感興趣。我在美國看了許多間諜小說的經典，跟張系國合寫過《捕諜人》，也認識金无怠等人。我覺得間諜是最好的小說家，因爲他們一直不停地虛構自己與他／她的故事，不斷不斷地假設。我也理解馬奎斯與葛林爲什麼都喜歡寫間諜作品。間諜與情報員也許本身不寫，可是他們多像小說作者，必須要側耳傾聽，以及不斷變換身分，講不同的故事。此外，非常有趣的一點是，他們理應是不能「說」的，所有的事情都必須守口如瓶；然而，間諜又最喜歡寫回憶錄，這其間的張力有點像小說作者。小說作者往往不太喜歡一直說話，但傾聽是很重要的，同時又有非寫不可的時刻。

我大約從《行道天涯》之後就沒寫過長篇，所以一直都想寫，中間經過好些個年頭，至少有四、五年。至於這篇小說中女性的聲音，我覺得特別的是，她跟我好久好久，那種跟法是我大概每天都會想她一次，至少每個禮拜都會寫一部分，更遑論刪掉的部分。而要不是在副刊連載，讓小說有一個結束，我眞的不知道還要跟她廝混多久，沒完沒了（笑）。當你跟她這麼熟的時候，那個聲音比較會自己跑出來，當然我不能直言那對不對、準確不準確。

問：作品完成，你希望讀者用什麼樣的態度去閱讀這篇小說？或者有什麼是你希望讓讀者看見的？

答：我希望大家喜歡小說，喜歡文學，任何一部小說都可能是一塊敲門磚、一把鑰匙，因爲你喜歡這部小說，所以會重拾對文學的興趣，不再覺得那是專業而小眾，甚至是與自己無關的事。事實上，小說有很多功能，對人情的了解也是一種。就像之前提到的，我們的社會如此粗糙，充滿了很簡化的分類方式，「人」往往是不見的、未獲得最大注意力的。

部分人會覺得閱讀小說是浪費時間，還有人說：我只看眞實的東西，只看報導。究竟什麼是眞實的？這是必須要探討的。在國外，閱讀文學書的人遍及各種年齡層，甚至許多人一輩子都在看小說。但在我們這裡，許多人過了二十歲以後，似乎都理所當然地不再接觸文學，這好像是一個很正當而驕傲的事。而其實只要流失掉的文學人口再回來就很好了。我多麼希望可以召喚回那些流失的讀者。

文·學·叢·書

劃撥帳號：19000691　成陽出版股份有限公司　掛號另加20元
本書目所列定價如與版權頁有異，以各書版權頁定價為準

1.	吹薩克斯風的革命者	楊　照著	260元
2.	魔術時刻	蘇偉貞著	220元
3.	尋找上海	王安憶著	220元
4.	蟬	林懷民著	220元
5.	鳥人一族	張國立著	200元
6.	蘑菇七種	張　煒著	240元
7.	鞍與筆的影子	張承志著	280元
8.	悠悠家園	韓·黃晳暎著／陳寧寧譯	450元
9.	想我眷村的兄弟們	朱天心著	220元
10.	古都	朱天心著	240元
11.	藤纏樹	藍博洲著	460元
12.	龔鵬程四十自述	龔鵬程著	300元
13.	魚和牠的自行車	陳丹燕著	220元
14.	椿哥	平　路著	150元
15.	何日君再來	平　路著	240元
16.	唐諾推理小說導讀選 I	唐　諾著	240元
17.	唐諾推理小說導讀選 II	唐　諾著	260元

何日君再來

作　者　平　路
發行人　張書銘
社　長　初安民
責任編輯　高慧瑩
美術編輯　張薰方
校　對　楊宗潤、平　路
出　版　INK印刻出版有限公司
台北縣中和市中正路800號13樓之3
電話：02-22281626
傳真：02-22281598
e-mail：ink.book@msa.hinet.net
法律顧問　現代法律事務所
郭惠吉律師　林春金律師
總經銷　成陽出版股份有限公司
訂購電話：02-26688242
訂購傳真：02-26688743
郵政劃撥　19000691　成陽出版股份有限公司
印　刷　海王印刷事業股份有限公司
出版日期　2002年7月　初版一刷
2002年7月　初版九刷
定　價　240元

ISBN 986-80425-3-4

國家圖書館出版品預行編目資料

何日君再來／平路著. --初版，--臺北縣中和市
：INK印刻，2002〔民91〕
面；　公分

ISBN 986-80425-3-4(平裝)

857.7　　　　　　　　　91010849

INK

INK

INK INK INK INK INK INK INK
INK INK INK INK INK INK
INK INK INK INK INK INK INK
INK INK INK INK INK INK
INK INK INK INK INK INK INK
INK INK INK INK INK INK
INK INK INK INK INK INK INK
INK INK INK INK INK INK
INK INK INK INK INK INK INK
INK INK INK INK INK INK
INK INK INK INK INK INK INK
INK INK INK INK INK INK
INK INK INK INK INK INK INK
INK INK INK INK INK INK
INK INK INK INK INK INK INK
INK INK INK INK INK INK
INK INK INK INK INK INK INK
INK INK INK INK INK INK
INK INK INK INK INK INK INK
INK INK INK INK INK INK
INK INK INK INK INK INK INK
INK INK INK INK INK INK
INK INK INK INK INK INK INK
INK INK INK INK INK INK
INK INK INK INK INK INK INK
INK INK INK INK INK INK
INK INK INK INK INK INK INK